Poétique

Ouvrages
de Tzvetan Todorov

Tzvetan Todorov

Qu'est-ce que le structuralisme ?

2

Poétique

Éditions du Seuil

Le présent essai a été précédemment publié dans l'ouvrage
collectif *Qu'est-ce que le structuralisme?*

ISBN 2-02-000620-0

Introduction générale

Avec cette espèce de retard immanquable, cette satisfaction dans la résorption et l'à-peu-près qui semblent caractériser toute la communication culturelle, les efforts de publicistes se sont multipliés, au cours des dernières années, pour donner du structuralisme une vue d'ensemble — quand il y a beau temps, cette vue, que personne n'est plus en mesure de la donner. C'est à partir de cette conviction modeste que les auteurs du présent ouvrage se sont rassemblés : convaincus qu'ils apprendraient les uns des autres presque autant que le lecteur « non averti » apprendrait d'eux tous.

Dans la mesure même où le structuralisme a vocation scientifique, où son travail est d'ordre non pas idéologique mais théorique, ce n'est qu'à l'œuvre — sur le terrain — qu'il peut se saisir, dans l'exploitation de ses différents matériaux : un discours général a ici toutes chances de n'être que bavardage et vanité. A la limite, il faudra se demander si l'un des apports du structuralisme n'est pas d'interdire, dans le champ — par lui bouleversé — des défuntes « sciences » humaines, ce qui n'a pas la rigueur et la responsabilité du spécialisé.

La généralité, pourtant, ne se récupère-t-elle pas à un autre niveau, qui est celui de la méthode? Si le mot structuralisme répond à quelque chose, c'est bien à une façon nouvelle de poser et d'exploiter les problèmes dans les sciences qui traitent du signe : une façon qui a pris son départ avec la linguistique saussurienne. De là l'ordre dans lequel se suivent les exposés qu'on va lire.

Mais n'allons pas trop vite à dire que la méthode est une et simple : nous aurons à nous demander dans quelle mesure elle n'est pas chaque fois spécifiée par son objet (aussi bien ne sommes-nous plus au temps où l'on croyait qu'une même raison transcendantale informait sans en être affectée les objets les plus divers), dans quelle mesure elle a pu être pour chacun de ces objets élucidée (certaines difficultés que nous rencontrerons tiendront à ce qu'on a fondu ou confondu des traitements commandés par des objets distincts). C'est pourquoi la définition du structuralisme s'est trouvée, presque chaque fois, venir à la fin de l'exposé.

Poussons notre question jusqu'au paradoxe : le structuralisme existe-t-il? La réponse paraissait naguère évidente; aujourd'hui, il ne nous déplaît pas de faire passer notre réponse par un temps de prudence. N'avons-nous pas lu sous une plume comme celle de Georges Canguilhem : « la méthode structurale (à supposer qu'il en existe une, à proprement parler) [1] »? De cette mutation, les présents essais sont une illustration d'autant plus frappante qu'elle n'était pas préméditée : plutôt que de partir d'une définition *a priori* de la méthode à dire structurale, pour venir à son début d'application ici ou là, chacun est parti de sa discipline d'étude pour chercher, sans préconception, si et en quoi elle avait changé — et en quoi ce changement mettait au jour quelque chose qu'on devrait appeler structuralisme.

1. *Critique*, n° 242, juillet 1967, p. 602.

Nous nous étions réunis pour écrire : *Qu'est-ce que le structuralisme?* Ce que nous publions [1] s'intitulerait mieux : *De modifications récentes du savoir et de ce qui les rassemble comme structuralistes.* Ce déplacement de l'axe, on aurait tort d'y voir la marque d'un reflux ou d'une incertitude : bien plutôt s'agit-il (et les auteurs ici groupés sont à cet égard très significatifs) des *problèmes de la seconde génération;* de ceux qui se posent au moment où l'on n'en est plus à produire les instruments révolutionnaires d'une recherche mais à pratiquer cette recherche, à en mesurer les difficultés et peut-être les limites non moins que la réalité, à la voir reprendre sa place dans le cours continu de savoirs qu'elle a moins rompus que fait rejaillir. Cela est vrai, est perçu comme vrai, alors même qu'il s'agit, comme il arrivera à plusieurs reprises, non de la poursuite d'un discours scientifique déjà établi, mais de l'interrogation sur la possibilité de constituer en sciences certains champs de la connaissance au statut jusqu'ici mal défini.

Disons-le franchement : quand on nous interroge sur le structuralisme, nous ne comprenons pas le plus souvent de quoi on veut nous parler. C'est d'abord qu'il court grand rumeur parmi les grenouilles que le structuralisme est quelque chose comme une philosophie, et qui voudrait supprimer beaucoup de bonnes choses, dont l'homme en particulier. On conçoit l'émotion des grenouilles : elles partagent avec Narcisse la fréquentation des bords de l'eau. Mais s'il y a quelque conclusion à tirer de l'introduction des

1. Voir même collection, n° 44, *le Structuralisme en linguistique*, par Oswald Ducrot; n° 46, *le Structuralisme en anthropologie*, par Dan Sperber; n° 47, *le Structuralisme en psychanalyse*, par Moustafa Safouan; n° 48, *Philosophie*, par François Wahl.

structures dans l'histoire de Narcisse, c'est justement qu'il ne serait pas du tout, s'il n'avait sa représentation là devant lui, dans l'eau, parmi les représentations autres, de branches et de nénuphars, et que c'est même seulement à apprendre (il ne le fera pas seul) de quelle absence cette image se tisse, de quel manque elle est le voile, qu'il peut, manque à son tour, y venir comme sujet.

On verra qu'il entre ici quelque chose, en effet, qui peut ressembler à une philosophie et qui est un des grands enjeux de la pensée de notre époque : mais qui n'est pas le structuralisme comme tel.

Pas plus que n'est le structuralisme, à l'autre extrême de la pensée (et cette fois, au plus bas), cet invraisemblable brouet qui fait chaque jour plus l'objet des conversations autour des tables familiales. Les succès (fussent-ils encore bien partiels!) d'une science entraînent sa négociation en idées générales dont elle ne sait que faire : on n'y trouvera pas, nous en prévenons le lecteur, la moindre allusion dans tous les exposés qui vont suivre. Encore une fois, sur presque tout ce qui se dit du structuralisme, nous ne savons rien.

On comprend maintenant qu'on ait vu, au cours des derniers mois, certains des créateurs de la recherche structurale, certains même de ceux qui les années précédentes usaient le plus volontiers du terme structuralisme, rejeter le mot comme une invention de journalistes et redouter les apparentements qu'il couvrirait. Le fait est qu'à s'en tenir à l'élasticité des étiquettes, on pourrait compter aujourd'hui : deux structuralismes positivistes (le deuxième accusant le premier d'empirisme), un structuralisme tout simplement rationaliste, deux structuralismes au moins annonçant une subversion du sujet (le deuxième accusant de réduction le premier); il y a une philosophie au sens classique qui se sert du structuralisme, et plusieurs structuralismes qui prétendent réfuter, de soi, toute philosophie, etc. De protagoniste, le structuralisme semble en passe de devenir la scène dans l'espace de laquelle les grands rôles classiques viennent tous, ou presque, se rejouer.

Tentons donc une opération de déflation et rappelons les limites où un exposé du structuralisme devrait se tenir. Il s'agit « simplement » de science, avons-nous dit. Mais de quelle science?

Dans un texte célèbre [1], Claude Lévi-Strauss donnait pour objet aux sciences structurales ce qui « offre un caractère de système », c'est-à-dire tout ensemble dont un élément ne peut être modifié sans entraîner une modification de tous les autres; il proposait comme leur instrument : la construction de modèles; et comme la loi de leur intelligibilité : les groupes de transformation commandant l'équivalence entre modèles et présidant à leurs emboîtements. Si l'on devait s'en tenir à cette définition, tout ce qui touche à l'idée de structure, en d'autres termes : à l'une des grandes « Formes » de la raison, tomberait sous l'étiquette du structuralisme, et il faudrait commencer aux mathématiques pour descendre à travers physique, chimie, biologie..., jusqu'aux sciences du discours. Pareille formule est trop extensive. Elle recouvre un problème épistémologique (c'est bien ainsi, d'ailleurs, que la donnait C. Lévi-Strauss) mais elle ne rend pas compte de la spécificité du champ où vient de s'opérer une coupure [2] du savoir.

Nous dirons — et c'est la seule façon de ne pas tomber

1. *Anthropologie structurale*, chap. XV, p. 306.
2. Coupure épistémologique ou passage d'un discours idéologique à une science : acte de naissance, donc, de cette science. Mais aussi coupure au sens d'une délimitation nouvelle entre les domaines du savoir.

dans la confusion — que *sous le nom de structuralisme se regroupent les sciences du signe, des systèmes de signes.* Les faits anthropologiques les plus divers peuvent y entrer, mais seulement pour autant qu'ils passent par les faits de langue — qu'ils sont pris dans l'institution d'un système du type $\dfrac{\text{Signifiant}}{\text{signifié}}$ et se prêtent au réseau d'une communication — et qu'ils reçoivent de là leur structure. C'est vrai pour tous, sans doute, mais non pas pour tous au même degré, et certaines difficultés contre lesquelles viendront buter nos exposés n'auront pas d'autre origine. Du moins doit-il être clair que les structures dont nous aurons à connaître sont : celles qui se prêtent à l'échange entre les hommes, du fait de la signification qu'elles engendrent, par leur articulation sur au moins deux plans. On ne qualifiera pas — sous peine d'émousser tout tranchant — de structuraliste une démarche qui traite directement de l'objet; il ne s'agit ici que de représentants et de ce qu'entraîne avec soi la représentation.

Parce que, dans le signe, ce qu'il y a de nouveau n'est pas le signifié mais son rapport au signifiant, on pourrait être tenté (je serais personnellement tenté) de dire que c'est par ce dernier que se définit le structuralisme. Le fait est que le signifiant oblige et que la logique de ses exigences propres pourrait être le fil à quoi s'accrocher pour juger de la radicalité des discours qui se tiennent au nom du structuralisme. Mais sans doute serait-ce là une définition aujourd'hui encore trop restrictive. Car à remettre en cause le parallélisme des deux étages du signe, on serait bien vite amené — par ce pas de l'époque auquel j'ai déjà fait allusion, qui doit quelque chose à la philosophie, et qui n'est donc plus seulement de science, qui risque même de faire retour sur la conception que nous avons de la science — à faire basculer toute une série d'« évidences » : soit l'antériorité de ce qui est à dire sur ce qui se dit, en place de quoi nous rencontrerions « l'impensable » d'un surgissement de la lettre dans une éclipse du sens; soit la position, au présent et au centre, d'un support de tout discours, en place de quoi nous devrions apprendre à penser comme intrinsèque au signifiant la dérobade de tout centre et le recul constant de l'origine; soit l'autonomie dernière du sujet qui parle au regard des langues dont il use, en place de quoi nous découvririons les effets constituants du signifiant et que c'est peut-être en lui que réside le plus irréductible de chaque « sujet ». Chaîne d'options pour la pensée dont on verra que ce n'est pas des recherches structurales seules qu'elles peuvent prendre leur cours.

Quoi qu'il en soit, le structuralisme, on l'aura compris, est chose sérieuse : à tout ce qui doit au signe, il donne droit à la science.

FRANÇOIS WAHL

Note sur la présente édition

Le texte qui suit est assez différent de celui, écrit en 1967, qui figurait sous le même titre dans le volume collectif *Qu'est-ce que le structuralisme ?* La raison en est double : le champ de la poétique n'est plus aujourd'hui ce qu'il était il y a six ans et moi-même je ne l'aborde pas toujours de la même manière. Mais un texte entièrement nouveau ne pourrait plus s'intégrer à notre projet initial. J'ai donc préservé l'intention générale et le cadre de la première version, ainsi que certaines analyses et exemples, en modifiant cependant l'exposé chaque fois que cela était nécessaire pour rendre compte de l'état actuel de la poétique.

TZVETAN TODOROV
mai 1973.

1

Définition de la poétique

Pour comprendre ce qu'est la poétique, on doit partir d'une image générale et, bien sûr, quelque peu simplifiée des études littéraires. Il n'est pas nécessaire pour autant de décrire les courants et les écoles réels ; il suffira de rappeler les positions prises devant plusieurs choix fondamentaux.

Deux attitudes sont à distinguer dès l'abord. La première voit dans le texte littéraire lui-même un objet de connaissance suffisant ; selon la seconde, chaque texte particulier est considéré comme la manifestation d'une structure abstraite. (J'écarte donc d'emblée les études sur la biographie de l'auteur, comme n'étant pas littéraires, ainsi que les écrits de style journalistique, qui ne sont pas des « études ».) Ces deux options ne sont pas, on va le voir, incompatibles ; on peut même dire qu'elles se placent, l'une par rapport à l'autre, en une complémentarité nécessaire ; toutefois, suivant que l'accent est mis sur l'une ou sur l'autre, on peut clairement distinguer entre les deux tendances.

Disons d'abord quelques mots de la première attitude, celle selon laquelle l'œuvre littéraire est l'objet ultime et unique, et qu'on appellera dorénavant ici l'*interprétation*. L'interprétation, qu'on nomme parfois aussi *exégèse*, *commentaire*,

explication de texte, lecture, analyse ou même simplement
critique (cette énumération ne signifie pas l'impossibilité
de distinguer ou même d'opposer certains de ces termes)
se définit, au sens que nous lui donnons ici, par sa visée,
qui est de *nommer le sens du texte examiné.* Cette visée en
détermine, d'un seul coup, l'idéal — qui est de faire parler
le texte lui-même; autrement dit, c'est la fidélité à l'objet,
à l'*autre*, et par conséquent l'effacement du sujet — et le
drame, qui est de ne pouvoir jamais atteindre *le* sens mais
seulement *un* sens, soumis aux contingences historiques et
psychologiques. Idéal et drame qui seront modulés tout au
long de l'histoire du commentaire, qui elle-même est coexten-
sive à l'histoire de l'humanité.

En effet, interpréter une œuvre, littéraire ou non, pour
elle-même et en elle-même, sans la quitter un instant, sans
la projeter ailleurs que sur elle-même, cela est en quelque
sens impossible. Ou plutôt : cette tâche est possible, mais
alors la description n'est qu'une répétition, mot pour mot,
de l'œuvre elle-même. Elle épouse les formes de l'œuvre
de si près que les deux ne font plus qu'un. Et, en un certain
sens, toute œuvre constitue elle-même sa meilleure description.

Ce qui se rapproche le plus de cette description idéale
mais invisible est la simple lecture, dans la mesure où celle-ci
n'est qu'une manifestation de l'œuvre. Pourtant le processus
de lecture n'est déjà pas sans conséquences : deux lectures
d'un livre ne sont jamais identiques. En lisant, on trace
une écriture passive; on ajoute et supprime dans le texte
lu ce qu'on veut ou ne veut pas y trouver; la lecture n'est
plus immanente, dès qu'il y a un lecteur.

Que dire alors de cette écriture active et non plus passive
qu'est la critique, qu'elle soit d'inspiration scientifique ou
artistique? Comment peut-on écrire un texte en restant

fidèle à un autre texte, en le gardant intact? Comment peut-on articuler un discours qui soit immanent à un autre discours? Du fait qu'il y a écriture et non plus seulement lecture, le critique dit quelque chose que l'œuvre étudiée ne dit pas, même s'il prétend dire la même chose. Du fait qu'il écrit un nouveau livre, le critique supprime celui dont il parle.

Ce qui ne signifie pas que cette transgression de l'immanence ne connaît pas de degrés.

Un des rêves du positivisme en sciences humaines est la distinction, voire l'opposition, entre interprétation — subjective, vulnérable, à la limite arbitraire — et description, activité sûre et définitive. Dès le XIXe siècle, des projets ont été formulés, pour une « critique scientifique » qui, ayant banni toute « interprétation », ne serait que pure « description » des œuvres. De telles « descriptions définitives » à peine parues, le public s'empressait de les oublier, comme si elles ne différaient en rien de la critique antérieure; et il ne s'y trompait pas. Les faits de signification, qui constituent l'objet de l'interprétation, ne se prêtent pas à la « description », si l'on veut attribuer à ce mot le sens d'absolu et d'objectivité. Ainsi en études littéraires : ce qui se laisse « décrire » objectivement — le nombre des mots, ou des syllabes, ou des sons — ne permet pas de déduire le sens; et, réciproquement, là où le sens se décide, la mesure matérielle est de peu d'utilité.

Mais dire : « tout est interprétation » ne signifie pas : toutes les interprétations se valent. La lecture est un parcours dans l'espace du texte; parcours qui ne se limite pas à l'enchaînement des lettres, de gauche à droite et de haut en bas (c'est le *seul* parcours unique, c'est pourquoi le texte n'a pas de sens unique), mais qui disjoint le contigu et rassemble l'éloigné, qui constitue précisément le texte en

espace et non en linéarité. Le fameux « cercle herméneutique »,
qui postule la coprésence nécessaire du tout et de ses parties
et annule par là même la possibilité d'un commencement
absolu, témoigne déjà de la pluralité nécessaire des interprétations. Mais tous les « cercles » ne se valent pas : ils
permettent de passer par plus ou moins de points de l'espace
textuel, ils obligent à omettre un plus ou moins grand nombre
de ses éléments. Et chacun sait, en pratique, qu'il y a des
lectures plus fidèles que d'autres — même si aucune ne
l'est entièrement. La différence entre interprétation et description (du sens) est de degré, non de nature ; mais elle
n'est pas moins utile dans une perspective didactique.

    Si *interprétation* était le terme générique pour le premier
type d'analyse auquel on soumet le texte littéraire, la seconde
attitude annoncée plus haut se laisse inscrire dans le cadre
général de la *science*. En employant ici ce mot, que le « littéraire moyen » n'affectionne pas, nous voudrions nous
référer moins au degré de précision qu'atteint cette activité
(précision nécessairement relative) qu'à la perspective générale choisie par l'analyste : son objectif n'est plus la description de l'œuvre singulière, la désignation de son sens, mais
l'établissement de lois générales dont ce texte particulier
est le produit.
    A l'intérieur de cette seconde attitude, on peut distinguer
plusieurs variétés, à première vue très éloignées. En effet,
on trouve ici, côte à côte, des études psychologiques ou
psychanalytiques, sociologiques ou ethnologiques, relevant
de la philosophie ou de l'histoire des idées. Elles nient toutes
le caractère autonome de l'œuvre littéraire et la considèrent
comme la manifestation de lois qui lui sont extérieures et

qui concernent la psyché, ou la société, ou encore l' « esprit humain ». L'objectif de l'étude est alors de transposer l'œuvre dans le domaine considéré comme fondamental : c'est un travail de déchiffrement et de traduction; l'œuvre littéraire est l'expression de « quelque chose » et le but de l'étude est d'atteindre ce « quelque chose » à travers le code poétique. Suivant que la nature de cet objet à atteindre est philosophique, ou psychologique, ou sociologique, ou autre, l'étude en question s'inscrit dans un de ces types de discours (une de ces « sciences ») dont chacun a, bien sûr, de multiples subdivisions. Une telle activité s'apparente à la science dans la mesure où son objet n'est plus le fait particulier mais la loi (psychologique, sociologique, etc.) que le fait illustre.

La *poétique* vient rompre la symétrie ainsi établie entre interprétation et science dans le champ des études littéraires.

Par opposition à l'interprétation d'œuvres particulières, elle ne cherche pas à nommer le sens mais vise la connaissance des lois générales qui président à la naissance de chaque œuvre. Mais par opposition à ces sciences que sont la psychologie, la sociologie, etc., elle cherche ces lois à l'intérieur de la littérature même. La poétique est donc une approche de la littérature à la fois « abstraite » et « interne ».

Ce n'est pas l'œuvre littéraire elle-même qui est l'objet de la poétique : ce que celle-ci interroge, ce sont les propriétés de ce discours particulier qu'est le discours littéraire. Toute œuvre n'est alors considérée que comme la manifestation d'une structure abstraite et générale, dont elle n'est qu'une des réalisations possibles. C'est en cela que cette science se préoccupe non plus de la littérature réelle, mais de la littérature possible, en d'autres mots : de cette propriété abstraite qui fait la singularité du fait littéraire, *la littérarité*. Le but de cette étude n'est plus d'articuler une paraphrase, un résumé raisonné de l'œuvre concrète, mais de proposer une théorie de la structure et du fonctionnement du discours littéraire, une théorie qui présente un tableau des possibles littéraires, tel que les œuvres littéraires existantes apparaissent comme des cas particuliers réalisés. L'œuvre se trouvera alors projetée sur autre chose qu'elle-même, comme dans le cas de la critique psychologique ou sociologique ; cette autre chose ne sera plus cependant une structure hétérogène mais la structure du discours littéraire lui-même. Le texte particulier ne sera qu'une instance qui permet de décrire les propriétés de la littérature.

Le terme de « poétique » convient-il bien à cette notion ? On sait que son sens a varié au cours de l'histoire ; mais en se fondant aussi bien sur une tradition ancienne que sur quelques exemples récents, quoique isolés, on peut l'employer sans crainte. Valéry, qui affirmait déjà la nécessité d'une telle activité, lui avait donné le même nom : « Le nom de *Poétique* nous paraît lui convenir, en entendant ce mot selon son étymologie, c'est-à-dire comme nom de tout ce qui a trait à la création ou à la composition d'ouvrages dont le langage est à la fois la substance et le moyen, — et point au sens restreint de recueil de règles ou de préceptes esthétiques concernant la poésie » [1]. Le mot *Poétique* se rapportera dans ce texte à toute la littérature, qu'elle soit versifiée ou non ; il y sera même presque exclusivement question d'œuvres en prose.

On peut aussi rappeler, pour justifier l'usage de ce terme, que la plus célèbre des *Poétiques*, celle d'Aristote, n'était pas

1. P. Valéry, « De l'enseignement de la poétique au Collège de France », *Variété V*, Paris, Gallimard, 1945, p. 291.

autre chose qu'une théorie concernant les propriétés de certains types de discours littéraire. Au reste, le terme est souvent employé dans ce sens à l'étranger, et les Formalistes russes en avaient déjà tenté la résurrection. Enfin, il apparaît, pour désigner la science de la littérature, dans les écrits de Roman Jakobson [1].

Revenons maintenant au rapport entre la poétique et les autres approches de l'œuvre littéraire que nous venons d'évoquer.

Entre poétique et interprétation, le rapport est par excellence celui de complémentarité. Une réflexion théorique sur la poétique qui n'est pas nourrie d'observations sur les œuvres existantes se révèle stérile et inopérante. Cette situation est bien connue des linguistes; et Benveniste déclare avec raison que « la réflexion sur le langage n'est fructueuse que si elle porte d'abord sur les langues réelles ». L'interprétation précède et suit à la fois la poétique : les notions de celle-ci sont forgées suivant les nécessités de l'analyse concrète, qui à son tour ne peut avancer qu'en utilisant les instruments élaborés par la doctrine. Aucune des deux activités n'est première par rapport à l'autre : elles sont toutes deux « secondaires ». Cette interpénétration

1. Pour permettre de situer plus facilement notre emploi du terme, signalons qu'il est proche de celui que décrit Valéry plus haut mais non de celui qu'il lui donne dans son cours sur la poétique (cf. *Yggdrasill*, II, 1937-1938, III, 1938-1939); qu'il a des traits communs avec l'emploi qu'en fait Jakobson, notamment en ce qui concerne sa relation avec la science en général et la linguistique en particulier, mais s'en distingue en ce qu'il n'englobe pas la description des œuvres concrètes (cf. R. Jakobson, « Linguistique et poétique », *Essais de linguistique générale*, Paris, Minuit, 1963); et qu'il coïncide d'assez près avec ce que Roland Barthes a appelé la « science de la littérature » (*Critique et vérité*, Paris, Seuil, 1966).

intime, qui fait que le livre de critique est souvent un
va-et-vient incessant entre la poétique et l'interprétation, ne doit pas nous empêcher de distinguer nettement,
dans l'abstrait, les objectifs de l'une et de l'autre.

En revanche, entre la poétique et les autres sciences qui
peuvent prendre l'œuvre littéraire pour objet, le rapport est
(à première vue tout au moins) d'incompatibilité. Au grand
regret, il est vrai, des éclectiques, si nombreux parmi les
« littéraires » : ils seraient plutôt prêts à admettre, avec une
égale bienveillance, une analyse de la littérature d'inspiration linguistique, plus une autre, d'inspiration psychana-
lytique, plus une troisième, fondée sur la sociologie, plus
une quatrième, sur l'histoire des idées. L'unité de toutes
ces démarches se fait, nous dit-on, par leur objet unique :
la littérature. Mais une telle affirmation est contraire aux
principes élémentaires de la recherche scientifique. L'unité
de la science ne se constitue pas à partir de l'unicité de son
objet : il n'y a pas de « science des corps », bien que les
corps soient un objet unique, mais une physique, une
chimie, une géométrie. Et personne ne demande de donner
des droits égaux dans une « science des corps » à une
« analyse chimique », à une « analyse physique », et à une
« analyse géométrique ». Faut-il rappeler encore ce lieu
commun selon lequel c'est la méthode qui crée l'objet, que
l'objet d'une science n'est pas donné dans la nature, mais
représente le résultat d'une élaboration? Freud a fait des
analyses d'œuvres littéraires : elles appartiennent non pas
à la « science de la littérature » mais à la psychanalyse.
Les autres sciences humaines peuvent se servir de la littérature
comme matière pour leurs analyses; mais si celles-ci sont
bonnes, elles font partie de la science en question, et non
d'un commentaire littéraire diffus. Et si l'analyse psychologique ou sociologique d'un texte n'est pas jugée digne de

faire partie de la psychologie ou de la sociologie, on voit mal pourquoi elle serait accueillie automatiquement au sein de la « science de la littérature ».

L'idée d'une réflexion scientifique sur la littérature se heurte immédiatement à tant de méfiance qu'il est nécessaire, avant de traiter des problèmes de la poétique, de rappeler quelques-uns des arguments qu'on a soulevés contre cette réflexion même. En prenant connaissance de ces arguments, la poétique saura peut-être éviter plus facilement les dangers qu'on lui signale.

Chacun de ces arguments a été émis de multiples fois; un choix s'impose donc parmi les différentes formulations. Voici une page tirée de l'article célèbre de Henry James, *The Art of Fiction* :

« Il y a toutes les chances qu'il (le romancier) ait une disposition de l'esprit telle que cette distinction bizarre et littérale entre description et dialogue, description et action lui apparaisse dénuée de sens et peu éclairante. Les gens parlent souvent de ces choses comme s'il existait une distinction nette entre elles, comme si elles ne se confondaient pas à tout instant, comme si elles ne se trouvaient pas intimement liées dans un effort général d'expression. Je ne puis imaginer la composition d'un livre incarnée dans une série de blocs isolés; ni concevoir, dans un roman digne d'être mentionné, un passage de description qui soit sans intention narrative, un passage de dialogue qui soit sans intention descriptive, une réflexion quelconque qui ne participe pas à l'action, ou une action dont l'intérêt ait une raison autre que celle, générale et unique, qui explique le succès de toute œuvre d'art : celle de pouvoir servir d'illustration. Le roman est un être vivant, un et continu, comme tout autre organisme, et on remarquera, je pense, qu'il vit précisément dans la mesure où dans chacune de ses parties apparaît quelque chose de toutes les autres. Le critique qui, à partir de la texture close d'une œuvre terminée, prétendra tracer la géographie de ses unités, sera amené à poser des frontières aussi artificielles, je le crains, que toutes celles que l'histoire a connues. »

Ainsi James accuse le critique qui se permet l'emploi de notions telles que « description », « narration », « dialogue », etc., de commettre simultanément deux fautes : 1. Croire que ces unités abstraites peuvent exister à l'état pur dans une œuvre. 2. Oser utiliser des notions abstraites, qui découpent cet objet intangible (cet « être vivant ») qu'est l'œuvre d'art.

La perspective dans laquelle se place la poétique fait perdre au premier reproche toute sa force : précisément, la poétique situe ces notions abstraites non dans l'œuvre particulière, mais dans le discours littéraire; elle affirme qu'elles ne peuvent exister que là, alors que dans l'œuvre on a toujours affaire à une manifestation plus ou moins « mixte »; la poétique ne s'occupe pas de tel ou tel fragment d'une œuvre, mais de ces structures abstraites qu'elle nomme « description » ou « action » ou « narration ».

Le deuxième argument est le plus important et d'ailleurs de loin le plus fréquent. Un *noli me tangere* pèse encore aujourd'hui sur l'œuvre d'art. Ce refus de la pensée abstraite a de quoi fasciner. Pourtant, James n'aurait eu qu'à pousser plus loin sa comparaison, déjà si ambiguë, du roman avec un organisme vivant pour mesurer les limites de sa portée : dans tout « morceau » de notre corps, il y a à la fois du sang, des muscles, de la lymphe et des nerfs : cela ne nous empêche pas de disposer de tous ces termes et de les utiliser sans que personne proteste. On dit aussi : il n'y a pas de maladies, il n'existe que des malades; heureusement pour nous, la médecine n'a pas suivi ce précepte. Mais qui risque-t-on de tuer en défendant des positions absurdes en études littéraires? Qui plus est : personne, Henry James pas moins qu'un autre, ne peut éviter l'emploi de termes descriptifs, et donc d'une théorie qui les fonde; simplement, on peut garder cette théorie dans l'implicite ou la discuter explicitement.

L'appartenance de cet essai à un ensemble consacré au structuralisme soulève une nouvelle question : quel est le rapport de celui-ci avec la poétique? La difficulté de la réponse est à la mesure de la polysémie du terme « structuralisme ».

A prendre ce mot dans son acception large, toute poétique, et non seulement telle ou telle de ses versions, est structurale : puisque l'objet de la poétique n'est pas l'ensemble des faits empiriques (les œuvres littéraires) mais une structure abstraite (la littérature). Mais alors, l'introduction d'un point de vue scientifique dans un domaine quelconque est toujours déjà structurale.

Si en revanche on désigne par ce vocable un corps d'hypothèses restreint, historiquement daté — qui réduit le langage à un système de communication ou les faits sociaux à être les produits d'un code — la poétique, telle qu'elle est présentée ici, n'a rien de particulièrement structuraliste. On pourrait même dire que le fait littéraire et, en conséquence, le discours qui le prend en charge (la poétique), par leur existence même, constituent une objection à certaines conceptions instrumentalistes du langage qui ont été formulées aux débuts du « structuralisme ».

Ce qui nous amène à préciser les rapports entre poétique et linguistique. La linguistique a joué, pour beaucoup d'entre les « poéticiens », le rôle d'un médiateur à l'égard de la méthodologie générale de l'activité scientifique ; elle a été une école (plus ou moins fréquentée) de rigueur de pensée, de méthode d'argumentation, de protocole de la démarche. Rien n'est plus naturel pour deux disciplines qui résultent de la transformation d'un même ancêtre : la philologie. Mais on s'accordera aussi à penser que c'est là un rapport purement existentiel et contingent : dans d'autres circonstances, n'importe quelle autre discipline scientifique aurait pu jouer le même rôle méthodologique. Il est un autre lieu cependant où ce rapport devient, au contraire, nécessaire : c'est que la littérature est, au sens le plus fort du terme, un produit de langage (Mallarmé disait : « Le livre, expansion totale de la lettre... »). Toute connaissance du langage aura, de ce fait, un intérêt pour le poéticien. Mais formulé ainsi, le rapport unit moins poétique et linguistique, que littérature et langage : donc poétique et *toutes* les sciences du langage. Or, pas plus que la poétique n'est la seule à prendre la littérature pour objet, la linguistique (telle au moins qu'elle existe à présent) n'est l'unique science du langage. Son objet est un certain type de structures linguistiques (phonologiques, grammaticales, sémantiques), à l'exclusion d'autres, que l'on étudiera en anthropologie, en psychanalyse ou en « philosophie du langage ». La poétique pourra donc trouver autant d'aide dans chacune de ces sciences, dans la mesure où le langage fait partie de leur objet. Ses parentes les plus proches seront les autres disciplines qui traitent du *discours* — l'ensemble formant le champ de la *rhétorique*, entendue au sens le plus large, comme science générale des discours.

C'est par là que la poétique participe du projet sémiotique

général, qui unit toutes les investigations dont le point
de départ est le *signe*.

La poétique définira nécessairement son trajet entre
deux extrêmes, le très particulier et le trop général. Une
tradition millénaire pèse sur elle, qui, à travers des rai-
sonnements très variés, aboutit toujours au même résultat : il faut abandonner toute réflexion abstraite, il faut
s'en tenir à la description du spécifique et du singulier.
Nous avons vu la complémentarité nécessaire des deux
démarches, qui interdit toute hiérarchisation; si nous
mettons cependant aujourd'hui l'accent sur la poétique,
c'est pour des raisons purement stratégiques : pour un
Lessing qui décrit les lois de la fable, combien d'exégètes
qui nous expliquent le sens de telle ou telle fable! Un déséquilibre massif, au profit de l'interprétation, caractérise
l'histoire des études littéraires : c'est ce déséquilibre qu'il
faut combattre, et non le principe de l'interprétation.

Un danger symétrique et inverse est apparu ces dernières
années, danger de sur-théorisation : dans un mouvement qui
est, lui, bien solidaire des principes de la poétique mais qui
« brûle les étapes », on propose des versions de plus en plus
formalisées de la poétique, dans un discours qui n'a plus
que lui-même pour objet. C'est oublier combien est faible
notre connaissance la plus immédiate du fait littéraire,
combien nos observations restent incomplètes et grossières,
combien les faits que nous manions sont partiels. Cet état de
chose nous fait opter ici pour la théorie plutôt que pour la
méthodologie; notre objet sera le discours de la littérature,
de préférence à celui de la poétique; et avant de formaliser,
on cherchera à conceptualiser. On fera sienne cette réflexion

récente d'un sociologue américain mis devant une situation
semblable : « Face à un domaine fondamental du comportement, je préfère la vague approche spéculative à la cécité
rigoureuse. »

Pour l'instant, la poétique n'en est qu'à ses débuts;
et elle présente tous les défauts caractéristiques de ce stade.
Le découpage du fait littéraire qu'on y trouve est encore
grossier et inadéquat : il s'agit de premières approximations,
de simplifications excessives et pourtant nécessaires. L'exposé
qui suit ne présente, au surplus, qu'une partie des recherches
qu'on peut, à bon droit, inscrire dans le cadre de la poétique.
Souhaitons qu'on ne prenne pas la maladresse de ces premiers pas dans une direction neuve, pour la preuve que cette
direction est erronée.

2

L'analyse du texte littéraire

1. Introduction. L'aspect sémantique

On lit un livre. On désire en parler. Quel genre de faits peut-on observer, quel type de questions seront suscitées?

La variété des faits et des problèmes paraît telle, à première vue, qu'on doute de l'existence d'un ordre quelconque. Mais ne simulons pas l'innocence : le discours sur la littérature est congénital à la littérature même, et il s'agit moins d'inventer un ordre que de choisir parmi les nombreuses possibilités qui s'offrent à nous; choisir de la manière la moins arbitraire possible.

Nous diviserons d'abord les innombrables jeux de rapports qu'on observe dans le texte littéraire en deux grands groupes : rapports entre éléments coprésents, *in praesentia*, rapports entre éléments présents et absents, *in absentia*. Ces rapports diffèrent aussi bien en nature que dans leur fonction.

Comme toute division très générale, celle-ci ne peut être tenue pour absolue. Il est des éléments absents du texte qui sont à tel point présents dans la mémoire collective des lecteurs d'une certaine époque, qu'on a pratiquement affaire à un rapport *in praesentia*. Inversement, des segments d'un livre suffisamment long peuvent se trouver à une telle

distance l'un de l'autre que leur relation n'est pas différente
d'un rapport *in absentia*. Néanmoins, cette opposition nous
permettra un premier regroupement des éléments constitutifs
de l'œuvre littéraire.

A quoi correspond-elle dans notre expérience de
lecteurs? Les rapports *in absentia* sont des rapports
de *sens* et de symbolisation. Tel signifiant « signifie » tel signifié, tel fait en évoque un autre, tel épisode
symbolise une idée, tel autre illustre une psychologie. Les
rapports *in praesentia* sont des rapports de *configuration*, de
construction. Ici, c'est par la force d'une causalité (non
d'une évocation) que les faits s'enchaînent les uns aux
autres, les personnages forment entre eux des antithèses
et des gradations (non des symbolisations), les mots se
combinent dans un rapport signifiant — bref, le mot,
l'action, le personnage ne signifient ni ne symbolisent ces
autres mots, actions, personnages, auxquels l'essentiel est
qu'ils sont juxtaposés. Cette opposition a reçu des noms très
variés; en linguistique on parle de rapports syntagmatiques
(in praesentia) et paradigmatiques *(in absentia)* ou, plus
généralement, d'un aspect *syntaxique* et d'un aspect *sémantique* du langage.

Cependant, la littérature n'est pas un système symbolique
« primaire » (comme la peinture, par exemple, peut l'être, ou
comme l'est, en un sens, la langue) mais « secondaire » :
elle utilise comme matière première un système déjà existant,
le langage. Cette différence entre système linguistique et
système littéraire ne se laisse pas observer uniformément
dans toute instance de littérature : elle est à son minimum
dans les écrits de type « lyrique » ou sapientiel, où les
phrases du texte s'organisent directement entre elles; à son
maximum dans le texte de fiction, où les actions et les personnages évoqués forment à leur tour une configuration,

relativement indépendante des phrases concrètes qui nous la font connaître. Reste que, si faible soit-elle, la différence existe toujours; il en résulte l'existence d'une troisième série de problèmes, liés à la représentation verbale du système fictionnel (que l'on peut, à la limite, imaginer représenté par un autre médium, tel le film); ce qui nous oblige à prendre en considération l'aspect *verbal* du texte littéraire.

On peut grouper ainsi en trois sections les problèmes de l'analyse littéraire, selon qu'ils concernent l'aspect verbal, syntaxique ou sémantique du texte. Cette subdivision, bien que portant des noms différents et se formulant, dans le détail, selon des points de vue variés, est présente depuis longtemps dans notre domaine. C'est ainsi que l'ancienne rhétorique divisait son champ en *elocutio* (verbal), *dispositio* (syntaxique) et *inventio* (sémantique); c'est ainsi que les Formalistes russes partageaient le champ des études littéraires en stylistique, composition et thématique; c'est ainsi encore que dans la théorie linguistique contemporaine, on sépare la phonologie, la syntaxe et la sémantique. Ces coïncidences cachent cependant des différences parfois profondes, et on ne pourra juger du contenu des termes ici proposés qu'à la suite de leur description.

Les trois aspects du texte littéraire sont très inégalement connus; on pourrait presque caractériser les différentes périodes de l'histoire de la poétique selon que l'attention des spécialistes s'est portée de préférence sur tel ou tel aspect de l'œuvre.

L'aspect syntaxique (ce qu'Aristote appelait, dans le cas de la tragédie, les « parties d'étendue ») a été le plus négligé, jusqu'à l'examen attentif auquel l'ont soumis les Formalistes russes dans les années 20 de ce siècle; depuis, il a été au centre de l'attention des chercheurs, en particulier de ceux qu'on inscrit dans la tendance « structurale ».

L'aspect verbal de la littérature a bénéficié de l'attention de plusieurs tendances critiques récentes : on a étudié le « style » dans le cadre de la stylistique; les « modalités » de la narration, dans celui des recherches morphologiques en Allemagne; les « points de vue », dans la tradition de Henry James, en Angleterre et aux États-Unis.

Le cas est un peu différent pour ce qu'on appelle ici l'aspect sémantique du texte. En un sens, toutes les *interprétations* le mettent au premier plan, il est donc le plus abondamment traité. Mais ce n'est presque jamais dans la perspective de la poétique : on s'intéresse au sens de telle œuvre particulière, non aux conditions générales de la naissance du sens. Nous ne pouvons pas, dans le cadre de cet exposé, changer la situation : il faudrait inventer, là où notre ambition n'est que de présenter et de systématiser. Mais pour éviter un trop grand déséquilibre, étant donné que les chapitres ultérieurs seront consacrés à la description des aspects syntaxique et verbal, nous allons tenter, dans les pages suivantes, de présenter brièvement la problématique sémantique du texte littéraire.

Si la théorie de la sémantique littéraire reste pour l'instant dans l'impasse, l'une des raisons en est que des faits très différents, bien qu'ayant tous trait au « sémantique », se sont trouvés placés ensemble. Notre tâche sera donc, avant tout, de sérier les problèmes (plutôt que de les résoudre).

Il faudrait d'abord, en suivant ici la linguistique contemporaine, distinguer deux types de questions sémantiques : formelles et substantielles; c'est-à-dire : *comment un texte signifie-t-il?* et *que signifie-t-il?*

La première question est au centre de l'attention de la sémantique linguistique. Il se trouve cependant que l'approche linguistique souffre de deux limitations : on s'en tient, d'une part, à la seule « signification », au sens strict, en laissant de côté tous les problèmes de connotation, d'usage ludique du langage, de métaphorisation; d'autre part, on ne dépasse guère les limites de la phrase, unité linguistique fondamentale. Or, ces deux aspects-là de la sémantique formelle, les sens « seconds » et l'organisation signifiante du « discours », sont particulièrement pertinents pour l'analyse littéraire; et ils ont attiré depuis longtemps l'attention des spécialistes. Qu'en savons-nous aujourd'hui?

L'étude des sens autres que le sens « propre » faisait traditionnellement partie de la rhétorique, elle constituait plus exactement le chapitre des *tropes*. Actuellement, on ne maintient plus l'opposition entre sens propre et dérivé, d'origine historique ou normative; mais on distingue le processus de *signification* (où un signifiant évoque un signifié) de celui de *symbolisation*, où un premier signifié en symbolise un second; la signification est donnée dans le vocabulaire (dans les paradigmes des mots), la symbolisation se produit dans l'énoncé (dans le syntagme). L'interaction qui s'opère entre le premier sens et le second (appelés parfois, à la suite de I.A. Richards, « véhicule » et « teneur ») n'est pas une simple substitution, ni une prédication, mais un rapport spécifique dont on commence seulement à étudier les modalités [1]. Ce qu'on connaît relativement mieux, c'est la variété abstraite des rapports qui s'établissent entre les deux sens : la rhétorique classique leur donnait les noms de *synecdoque, métaphore, métonymie, antiphrase, hyperbole, litote;* la rhétorique moderne a voulu interpréter ces relations

---

1. Le pionnier dans ce domaine est W. Empson, *The Structure of Complex Words*, Londres, Chatto & Windus, 1950. La partie théorique de sa recherche a été traduite en français sous le titre « Assertions dans les mots », *Poétique*, 6, 1971, p. 239-270.

en termes logiques d'inclusion, exclusion, intersection, etc. [1].

Pour ce qui est des propriétés symboliques de segments supérieurs à la phrase, il faut savoir si le symbolisme est intratextuel ou non. Dans le premier cas, une partie du texte en désigne une autre : un personnage sera « caractérisé » par ses actions ou par des détails descriptifs, une réflexion abstraite sera « illustrée » par l'ensemble de l'intrigue (en un sens, la première phrase d'*Anna Karénine* contient en condensé le reste du livre). Dans le deuxième cas, il s'agit de l'exégèse au sens courant, c'est-à-dire du passage entre le texte littéraire et le texte critique (c'est ce à quoi on ramène habituellement l'acte global d'interprétation) : l'exégèse sera elle-même circonscrite par diverses *herméneutiques* ou règles abstraites qui régissent son fonctionnement. La plus élaborée d'entre elles, dans la tradition occidentale, est celle qui s'est formée autour de la lecture de la Bible. Les herméneutiques ne se préoccupent pas toujours de la description de leurs procédures; il est possible qu'à ce niveau transphrastique, on découvre encore les mêmes catégories tropiques, les mêmes problèmes d'interaction des sens (l'allégorie était figure avant d'être genre); mais on ne possède encore que des connaissances partielles sur tout ce qui touche la structure symbolique des discours [2].

---

1. Parmi les nombreuses réinterprétations modernes de la matrice tropique, la plus complète est celle de Jacques Dubois *et al.*, *Rhétorique générale*, Paris, Larousse, 1970, en particulier p. 91-122. Pour une perspective grammaticale sur les tropes, cf. Christine Brooke-Rose, *A Grammar of Metaphor*, Londres, 1958.
2. R.M. Browne a cherché à étendre la théorie des tropes à la structure du discours, cf. « Typologie des signes littéraires », *Poétique*, 7, 1971, p. 334-353. On ne se donnera pas le ridicule de fournir une bibliographie sur l'« interprétation ». On peut avoir une idée de la variété des approches critiques actuelles dans ce domaine en consultant les deux numéros spéciaux de la revue *New Literary History* : III (1972), 2 et IV (1973), 2.

La seconde grande question, celle qui définit la sémantique substantielle, est : que signifie-t-on? Ici encore, il importe de séparer des problèmes souvent traités ensemble.

On peut demander d'abord dans quelle mesure le texte littéraire *décrit* le monde (son référent); en d'autres termes, on peut poser le problème de sa vérité. Dire que le texte littéraire se réfère à une réalité, que cette réalité constitue son référent, c'est instaurer en effet une relation de *vérité* et se donner le pouvoir de soumettre le discours littéraire à l'épreuve de la vérité, le pouvoir de dire de lui qu'il est vrai ou faux. Or, une convergence et une opposition assez curieuses se laissent observer sur ce point entre les logiciens, spécialistes des problèmes que pose la relation de vérité, et les premiers théoriciens du roman. Ceux-ci avaient l'habitude d'opposer la science histoire au roman, ou aux autres genres littéraires, pour dire que, si la première devait être toujours vraie, le second pouvait même être entièrement faux. Ainsi Pierre-Daniel Huet écrivait dans son *Traité de l'origine des romans* que les romans « peuvent même être entièrement faux, et en gros et en détail ». A partir de là, il n'y avait qu'un pas à faire pour s'apercevoir de la ressemblance des romans avec les mensonges, avec la parole feinte; le même Huet voit l'origine du roman chez les Arabes qui seraient une race particulièrement douée pour le mensonge...

La logique moderne (depuis Frege, au moins) a retourné d'une certaine façon ce jugement : la littérature n'est pas une parole qui peut ou doit être fausse, à l'opposé de la parole des sciences; c'est une parole qui, précisément, ne se laisse pas soumettre à l'épreuve de vérité; elle n'est ni vraie ni fausse, poser cette question n'a pas de sens : c'est ce qui définit son statut même de « fiction ».

Logiquement parlant donc, aucune phrase du texte littéraire n'est vraie, ni fausse. Ce qui n'empêche nullement l'œuvre entière de posséder une certaine puissance descriptive : à des degrés très variés, les romans évoquent « la vie », telle qu'elle s'est effectivement déroulée. Il est donc possible, lorsqu'on étudie une société, de se servir, entre autres documents, de textes littéraires. Mais l'absence d'une relation rigoureuse de vérité doit en même temps nous rendre extrêmement prudents : le texte peut aussi bien « refléter » la vie sociale, qu'en prendre l'exacte contrepartie. Une telle perspective est parfaitement légitime mais elle nous mène en dehors de la poétique : en mettant la littérature sur le même plan que n'importe quel autre document, on renonce évidemment à tenir compte de ce qui la qualifie comme littérature.

Ce problème de relation entre littérature et faits extralittéraires a souvent été confondu, sous le nom de « réalisme », avec un autre, qui est la conformité du texte particulier à une norme textuelle qui lui est extérieure; cette conformité produit l'*illusion* du réalisme et nous fait qualifier un tel texte de *vraisemblable*.

Si l'on étudie les discussions que le passé nous a léguées, on s'aperçoit que l'œuvre est jugée vraisemblable par rapport à deux grands types de normes. Le premier est ce qu'on appelle les *règles du genre :* pour qu'une œuvre puisse être jugée vraisemblable, il faut qu'elle se conforme à ces règles. A certaines époques, une comédie n'est jugée vraisemblable que si, au dernier acte, les personnages se découvrent un degré de proche parenté. Un roman sentimental sera vraisemblable si le dénouement consiste dans le mariage du héros avec l'héroïne, si la vertu est récompensée et le vice puni. Le vraisemblable, pris dans ce sens, désigne la relation de l'œuvre avec le discours littéraire, plus exactement, avec certaines subdivisions de celui-ci, qui forment un genre.

Mais il existe un autre vraisemblable, que l'on a pris encore plus souvent pour une relation avec le réel. Aristote, pourtant, avait déjà clairement dit que le vraisemblable n'est pas une relation entre le discours et son référent (relation de vérité), mais entre le discours et ce que les lecteurs croient vrai. La relation s'établit donc ici entre l'œuvre et un discours diffus qui appartient en partie à chacun des individus d'une société, mais dont aucun ne peut réclamer la propriété; en d'autres mots, à *l'opinion commune*. Celle-ci n'est évidemment pas la « réalité » mais seulement un discours tiers, indépendant de l'œuvre. L'opinion commune fonctionne donc comme une règle de genre qui se rapporterait à tous les genres.

L'opposition entre ces deux types de vraisemblance n'est irréductible qu'à première vue. Dès qu'on se place au point de vue de l'histoire, ce qu'on rencontre est autre chose : la diversité successive des règles de genre. L'opinion commune est un seul genre, qui prétend se soumettre tous les autres; les genres proprement dits admettent au contraire diversité et coexistence.

Il est utile de confronter, dans cette perspective, la doctrine du classicisme avec celle du naturalisme du XIXe siècle. D'une part, la poétique classique se réfère explicitement aux règles de genre sans prétendre que la conformité à celles-ci égale la vérité. Le poète « doit plutôt changer [la vérité] tout entière, écrit Chapelain, que de lui laisser rien qui soit incompatible avec les règles de son art ». D'autre part, les théoriciens du classicisme admettent volontiers l'exis-

tence de plusieurs genres et, partant, de plusieurs vraisemblables. Les différents moyens dont le poète dispose peuvent
tous contribuer à la vraisemblance, mais dans des genres
différents. Horace écrit déjà dans *l'Art poétique* que l'ïambe
convient à la satire, le « distique au vers d'inégale longueur »,
à la plainte et au remerciement, etc. Quant à l'opinion
commune, elle a des droits différents dans les différents
genres : le poème « quoique toujours vraisemblable »,
dira Huet, l'est moins que le roman. En d'autres mots, la
loi de certains genres coïncide avec l'opinion commune;
mais celle-ci n'a pas de droits absolus.

La doctrine du naturalisme se situe au pôle opposé. Les
naturalistes n'admettent pas qu'ils se réfèrent à des règles
de genre; leurs écrits doivent être *vrais*, et non vraisemblables.
En fait, cela signifie que la seule règle admise est celle de
l'opinion commune. La conséquence directe de ce principe
est la réduction de tous les genres à un seul; si les règles
d'un genre contredisent ce vraisemblable, on supprime le
genre : dans la doctrine du naturalisme, il n'y a pas de place
pour le poème. Ainsi, parlant de la poésie, le réaliste russe
Saltykov Chtchédrine dit : « Je ne comprends pas pourquoi
il faut marcher sur un fil et de plus s'accroupir tous les trois
pas. » On peut conclure de cette comparaison que le
naturalisme refuse, en théorie tout au moins, la variété des
discours; or, la reconnaissance de celle-ci, et l'élaboration
successive d'une véritable typologie, est une condition nécessaire à la connaissance du texte [1].

C'est enfin à un troisième champ qu'appartient ce qu'on
pourrait appeler l'hypothèse d'une thématique littéraire
générale. Depuis fort longtemps, on s'est interrogé sur la
possibilité de présenter les thèmes de la littérature non

1. Sur le problème du réalisme, cf. « Le Discours réaliste », *Poétique*,
16, 1973.

comme une série ouverte et désordonnée mais comme un ensemble structuré. Pour l'instant, la plupart de ces tentatives prennent comme point de départ une organisation extérieure à la littérature : les cycles de la nature, ou la structure de la psyché humaine, etc.; on peut se demander s'il n'est pas préférable de fonder cette hypothèse à l'intérieur du langage et de la littérature. Reste que l'existence même d'une telle thématique générale est loin d'être prouvée [1].

2. Registres de la parole

« L'œuvre littéraire est faite de mots », dirait volontiers aujourd'hui un critique cherchant à reconnaître l'importance du langage en littérature. Mais l'œuvre littéraire, pas plus qu'un autre énoncé linguistique, n'est faite de mots : elle est faite de phrases, et ces phrases appartiennent à des *registres* différents de la parole (notion dont se rapprochent certains des usages du mot « style »). Leur description sera notre première tâche car il faut commencer par voir quels sont les moyens linguistiques dont l'écrivain dispose, il faut connaître ce que sont les propriétés de la parole avant

1. Voici, à titre d'échantillon, quelques livres récents explorant cette hypothèse : N. Frye, *Anatomy of Criticism*, New York, Atheneum, 1957 (la traduction française de cet ouvrage est inutilisable); G. Durand, *Les Structures anthropologiques de l'imaginaire*, Paris, Bordas, 1969 (1re éd., 1960); R. Girard, *Mensonge romantique et vérité romanesque*, Paris, Grasset, 1961; A.-J. Greimas, *Sémantique structurale*, Paris, Larousse, 1966; T. Todorov, *Introduction à la littérature fantastique*, Paris, Seuil, 1970.

leur intégration dans une œuvre. Cette étude préliminaire
touchant les propriétés linguistiques des matériaux prélit-
téraires est nécessaire à la connaissance du discours littéraire
lui-même, que nous aborderons par la suite : d'autant qu'il
n'existe pas de frontière infranchissable entre celui-ci et
ceux-là.

On n'essaiera pas de résumer ici en quelques mots les
travaux déjà nombreux portant sur « les styles »; on s'atta-
chera plutôt à mettre en évidence quelques catégories
seulement, dont la présence ou l'absence crée un registre
de la langue. Il faut d'ailleurs ajouter aussitôt qu'il ne s'agit
jamais de présence et d'absence absolues, mais de prédo-
minances quantitatives (que l'on sait du reste très mal
mesurer : combien faut-il de métaphores par page pour
qualifier un style de « métaphorique »?) : ce ne sont pas de
véritables oppositions mais des caractéristiques graduées
et continues.

1. Une première catégorie très évidente qui permet de
caractériser un registre est ce qu'on appelle, dans l'usage
quotidien, sa nature « concrète » ou « abstraite ». A l'un
des extrêmes de ce continuum se trouvent les phrases dont
le sujet désigne un être singulier, matériel et discontinu;
à l'autre, les réflexions « générales » qui énoncent une
« vérité » hors de toute référence spatiale ou temporelle.
Entre ces deux extrêmes, se situe une infinité de cas de transition, selon que l'objet évoqué est plus ou moins abstrait.
Intuitivement, le lecteur réagit toujours à cette propriété
du discours, en la valorisant différemment : le roman
réaliste, par exemple, se spécialise dans la présentation de
détails matériels (tout le monde se souvient des ongles de
Léon, dans *Madame Bovary*, ou du bras d'Anna Karénine);
le roman romantique, en revanche, chérit l' « analyse »,

les envolées lyriques, les réflexions abstraites (tous les mélanges des deux sont du reste possibles).

2. Une seconde catégorie, tout aussi notoire mais plus problématique, est déterminée par la présence de figures rhétoriques (relations *in praesentia* à distinguer des tropes, relations *in absentia*) : c'est le degré de *figuralité* du discours. Mais qu'est-ce qu'une figure? Si de nombreuses théories ont cherché un dénominateur commun à toutes les figures, elles se sont vues presque toujours obligées d'exclure certaines figures de leur champ pour pouvoir expliquer les autres par la définition proposée. En fait, cette définition ne devrait pas être cherchée dans la relation de la figure avec autre chose qu'elle-même, mais dans son existence même : est figure ce qui se laisse décrire comme tel. La figure n'est rien d'autre qu'une disposition particulière de mots, que nous savons nommer et décrire. Si les rapports de deux mots sont d'identité, il y a figure : c'est la *répétition*. S'ils sont d'opposition, il y a encore figure : l'*antithèse*. Si l'un dénote une quantité plus ou moins grande que l'autre, on parlera encore de figure : ce sera la *gradation*. Mais si la relation des deux mots ne se laisse dénommer par aucun de ces termes, si elle est encore différente, nous déclarerons alors que ce discours n'est pas figuré; jusqu'au jour où un nouveau rhétoricien nous apprendra comment décrire cette relation imperceptible.

Toute relation de deux (ou plusieurs) mots coprésents peut donc devenir figure; mais ce virtuel ne se réalise qu'à partir du moment où le récepteur du discours perçoit la figure (puisqu'elle n'est rien d'autre que *le discours perçu en tant que tel*). Cette perception sera assurée soit par le recours à des schémas bien présents dans notre esprit (d'où la fréquence des figures fondées sur la répétition, la symétrie, l'opposition), soit par une insistance particulière dans la mise en évidence de certaines relations verbales : Jakobson a pu ainsi identifier un grand nombre de « figures grammaticales » ignorées auparavant, en se fondant sur une analyse exhaustive du tissu linguistique de tel ou tel poème particulier.

Le contraire de la figure, la transparence — l'invisibilité du langage — n'existe que comme une limite (que nous approchons probablement le plus dans le cas d'un discours purement utilitaire, fonctionnel); limite qu'il est nécessaire de penser mais qu'on ne doit pas chercher à saisir à l'état pur. On a beau considérer les mots comme le simple vêtement d'un corps idéel : Peirce nous dit que « ce vêtement, on ne peut jamais s'en dépouiller complètement, mais seulement l'échanger contre un autre plus diaphane ». Le langage ne peut pas disparaître complètement, devenant pur médiateur de signification.

La théorie des figures constituait un des chapitres essentiels de l'ancienne rhétorique. Sous l'impulsion de la linguistique contemporaine, on a tenté à plusieurs reprises de donner une base plus cohérente au catalogue riche mais désordonné que ce passé nous a légué. L'une des théories les plus populaires de la figure (qui remonte d'ailleurs au moins à Quintilien) a voulu y voir l'infraction à l'une quelconque des règles linguistiques (théorie de l'écart). C'est la voie qu'a explorée, par exemple, Jean Cohen dans son livre sur la *Structure du langage poétique* [1].

Une telle définition permet la description plus précise de

---

1. Paris, Flammarion, 1966. On trouvera d'autres versions de cette théorie dans S. Levin, « Deviation — Statistical and Determinate — in Poetic Language », *Lingua*, 1963, p. 276-290; J. Dubois *et al.*, *Rhétorique générale*, *op. cit.* On a réédité récemment un traité classique des figures : P. Fontanier, *Les Figures du discours*, Paris, Flammarion, 1968.

certaines figures; mais elle se heurte à des objections sérieuses dès qu'on veut l'étendre à l'ensemble du domaine.

3. Une autre catégorie, permettant d'identifier différents « registres » au sein du langage, est la présence ou l'absence de référence à un discours antérieur. On pourrait appeler *monovalent* ce discours (qui, lui aussi, ne peut être pensé que comme une limite), qui n'évoquerait nullement des « manières de parler » antérieures; et *polyvalent*, celui qui le fait de façon plus ou moins explicite.

L'histoire littéraire classique a traité avec suspicion ce second type d'écriture. La seule forme autorisée était celle qui ridiculise et rabaisse les propriétés du discours précédent : la parodie. Si la nuance critique est absente de ce deuxième discours, l'historien de la littérature parle de « plagiat ». Une erreur grossière consiste à considérer le texte pastichant comme remplaçable par le texte pastiché. On oublie que la relation entre les deux textes n'est pas de simple équivalence mais connaît une grande variété; et surtout que le jeu avec l'autre texte ne doit en aucun cas être oblitéré. Les mots d'un discours polyvalent renvoient dans deux directions; le priver de l'une ou de l'autre, c'est ne pas le comprendre.

Prenons un exemple connu : l'histoire du genou blessé dans *Tristram Shandy* (VIII, 20), reprise dans *Jacques le Fataliste*. Il ne s'agit pas ici, bien sûr, d'un plagiat mais d'un dialogue. Nombre de détails sont changés, de sorte que le texte de Diderot, bien que très proche de celui de Sterne, n'est pas compréhensible si on ne tient pas compte du décalage entre les deux. Ainsi, on offre à Jacques « une bouteille de vin » et il en boit « un ou deux coups à la hâte »; ce geste prend tout son sens si l'on pense qu'à Trim on offre « quelques gouttes [de cordial] sur un morceau de sucre ». Cette correspondance était tout à fait évidente pour le lecteur contemporain (et Diderot lui-même l'indique); on ne peut comprendre le texte sans tenir compte de sa signification double : il signifie aussi bien le geste même de la femme que le texte de Sterne.

C'est grâce aux Formalistes russes que l'on a commencé à reconnaître l'importance de ce trait du langage. Chklovski écrivait déjà : « L'œuvre d'art est perçue en relation avec les autres œuvres artistiques et à l'aide d'associations qu'on fait avec elles... Non seulement le pastiche mais toute œuvre d'art est créée en parallèle et en opposition à un modèle quelconque [1]. » Mais c'est Bakhtine qui, le premier, a formulé une véritable théorie de la polyvalence intertextuelle; il affirme : « Un certain élément de ce qu'on appelle réaction au style littéraire précédent se trouve dans chaque nouveau style; il représente tout autant une polémique intérieure, une antistylisation camouflée, pour ainsi dire, du style d'autrui, et accompagne souvent la franche parodie. (...) L'artiste prosateur évolue dans un monde rempli de mots d'autrui, au milieu desquels il cherche son chemin... Tout membre d'une collectivité parlante trouve non pas des mots neutres " linguistiques ", libres des appréciations et des orientations d'autrui mais les mots habités par des voix autres. Il les reçoit par la voix d'autrui, emplis de la voix d'autrui. Tout mot de son propre contexte provient d'un autre contexte, déjà marqué par l'interprétation d'autrui. Sa pensée ne rencontre que des mots déjà occupés. » Dans une optique similaire, plus récemment, inaugurant une psychanalyse de l'histoire littéraire, Harold Bloom a parlé d'une « angoisse de l'influence » qu'éprouve tout écrivain lorsqu'il prend, à son tour, la parole (la plume) : il écrit toujours pour ou contre le livre déjà existant d'un autre (et le parcours du pour au

---

1. *Théorie de la littérature*, Paris, Seuil, 1965, p. 50.

contre connaît une variété de nuances infinie); les voix des autres habitent son discours qui devient, du coup, « polyvalent » [1].

Lorsque le texte présent évoque, non un autre texte particulier mais un ensemble anonyme de propriétés discursives, on est confronté à une version différente de la polyvalence. Dans son œuvre de pionnier, Milman Parry avait formulé cette hypothèse concernant la poésie orale traditionnelle (les chants d'Homère comme ceux des bardes yougoslaves) : l'épithète s'y joint au substantif non pour en préciser le sens mais parce que les deux sont traditionnellement attachés l'un à l'autre; la métaphore n'est pas là pour augmenter l'épaisseur sémantique du texte, mais parce qu'elle appartient à l'arsenal des ornements poétiques et que, l'utilisant, le texte signifie son appartenance à la littérature, ou à l'une de ses subdivisions. Mais Parry croyait cette particularité propre à la littérature orale seulement, imposée par la nécessité dans laquelle se trouvent les bardes d'improviser, donc de puiser dans un réservoir de formules toutes faites. On a pu, depuis, étendre cette hypothèse à la littérature écrite; cette extension a entraîné une restriction dans la nature de ce qui est « évoqué ». Le texte nouveau ne se fait pas à l'aide d'une série d'éléments appartenant globalement à la « littérature », mais par référence à des ensembles plus spécifiques : tel style, telle tradition particulière, tel type d'usage des mots ou des procédés poétiques. C'est à Michael Riffaterre que l'on doit cette transformation de l'hypothèse de Parry sur le langage poétique formulaire. Cela nous amène à une théorie généralisée du cliché, qui peut être aussi bien stylistique que thématique ou narratif et qui joue un rôle déterminant dans la constitution du sens d'un discours. Ce sont

1. M. Bakhtine, *La Poétique de Dostoïevski*, Paris, Seuil, 1970; H. Bloom, *The Anxiety of Influence*, New York, Oxford UP, 1973.

des faits de ce même type, mais à l'intérieur de la langue
parlée, qu'avait décrits le fondateur de la stylistique moderne,
Charles Bally, sous le nom d'*effets d'évocation par milieu* [1].
Ainsi le *flingue*, par opposition à *revolver*, évoque pour nous
un milieu, *le* milieu, ou les textes qui le décrivent. Encore
n'a-t-on donné là que quelques-unes parmi les nombreuses
variétés du discours polyvalent.

4. Le dernier trait que nous retenons ici pour caractériser
la variété des registres verbaux est ce qu'on pourrait appeler,
à la suite de Benveniste, la « subjectivité » du langage (qu'on
oppose à son « objectivité »). Tout énoncé porte en lui-
même des traces de son énonciation, de l'acte ponctuel et
personnel de sa production; mais ces traces peuvent être
plus ou moins intenses. Pour ne donner qu'un exemple, le
passé simple, en français, confère un minimum de subjectivité au discours : tout ce que nous pouvons savoir est que
l'acte décrit est antérieur à l'acte de description (telle est la
faible trace laissée ici par la « subjectivité »).

Les formes linguistiques que prennent ces « traces »
sont nombreuses, et elles ont été l'objet de plus d'une
description [2]. On pourrait distinguer deux grandes séries :
les indications sur l'identité des interlocuteurs et sur les
coordonnées spatio-temporelles de l'énonciation qui sont
habituellement transmises par des *morphèmes* spécialisés
(les pronoms ou les terminaisons des verbes); et celles sur
l'attitude du locuteur et ou de l'allocutaire à l'égard du

1. M. Parry, *The Making of Homeric Verse*, Oxford, Clarendon
Press, 1971; M. Riffaterre, « Le poème comme représentation »,
Poétique, 4, 1970, p. 401-418; Ch. Bally, *Traité de stylistique française*,
Genève-Paris, 1909.
2. Pour une vue d'ensemble sur les problèmes de l'énonciation,
cf. le numéro 17 de *Langages* (1970), intitulé *l'Énonciation* (bibliographie).

discours ou de son objet (qui ne constituent que des *sèmes*, des aspects du sens d'autres mots). C'est par ce biais précisément que le procès d'énonciation pénètre tous les énoncés verbaux : chaque phrase comporte une indication sur les dispositions de son locuteur. Celui qui dit « Ce livre est beau » porte un jugement de valeur et s'introduit par là même entre l'énoncé et son référent; mais celui qui dit « Cet arbre est grand » énonce un jugement du même genre, quoique moins évident, et nous informe, par exemple, sur la flore de son propre pays. Toute phrase comporte une évaluation mais à des degrés différents, ce qui nous permet d'opposer un discours « évaluatif » aux autres registres de la parole.

A l'intérieur de ce registre subjectif, on a distingué quelques classes aux propriétés plus rigoureusement définies. Le mieux connu est le *discours émotif* (ou expressif); l'étude classique de ce registre est celle de Charles Bally. Depuis, de nombreuses recherches ont isolé ses manifestations à travers des traits phoniques, graphiques, grammaticaux et lexicaux [1].

Un autre type de subjectivité se réalise à travers un secteur bien isolé du vocabulaire : c'est le *discours modalisant*. On y rapporte les verbes et les adverbes modaux *(pouvoir, devoir; peut-être, certainement, etc.)*. Encore une fois, le sujet de l'énonciation et, à travers lui, l'acte entier, sont mis en évidence.

On ne saurait trop insister sur l'interpénétration de tous ces registres dans les textes concrets. La littérature actuelle

---

1. Pour une vue d'ensemble, cf. E. Stankiewicz, « Problems of Emotive Language », in Th. A. Sebeok et al. (eds), *Approaches to Semiotics*, La Haye, Mouton, 1964.

nous en offre des cas nouveaux et particulièrement complexes.
Voici par exemple un extrait d'*Ulysse* :

« Cessant de sourire il avançait, et un nuage lourd envahis-
sait le soleil avec lenteur, assombrissant encore la façade
morose de Trinity College. Les trams se croisaient, mon-
taient, descendaient, sonnaient. Inutiles, les mots. Les choses
vont de même, jour après jour; escouades d'agents qui
sortent et rentrent; trams aller et retour. Ces deux braques
qui se baguenaudent. Dignam expédié », etc.

La première phrase de cet énoncé semble appartenir à
un discours objectif; mais est-ce Bloom qui pense « morose »
ou le narrateur qui le dit? Sans rupture visible, les phrases
suivantes, à partir de « Inutiles, les mots », font ressortir
le procès d'énonciation : c'est Bloom qui pense; et sa
pensée est présentée dans un « monologue intérieur », forme
qui combine plusieurs caractéristiques des registres émotif
ou évaluatif : ainsi les phrases nominales, les ellipses, le
présent, les inversions, etc.

Cette énumération des registres de la parole ne peut se
prétendre exhaustive : son but est seulement de donner une
image de leur variété, mise en œuvre dans le livre de fiction.
Elle ne présente pas non plus un système cohérent et logique :
pour atteindre un tel résultat, il faudra de nombreuses
recherches se fondant sur les connaissances que nous fournit
la linguistique. Mais une lecture ne saurait être exigeante
si elle ignore ces ressources de la parole offertes à la littérature. La littérature actuelle, en particulier, nous oblige à
en tenir compte sans cesse : elle ne se contente pas de faire
coïncider leur distribution même dans l'œuvre avec celle
d'une autre structure formée par l'intrigue, pour renforcer
cette dernière; c'est cette distribution qui donne l'organisation globale et première de l'œuvre, les autres niveaux
du texte obéissant à celui-ci.

3. L'aspect verbal : Mode. Temps

Après avoir passé en revue ces propriétés linguistiques d'un discours dont la présence systématique crée un « registre », nous devons nous tourner maintenant vers ce qui constitue l'essentiel de l'« aspect verbal » de la littérature : problématique proche et néanmoins distincte de la précédente.

Le livre de fiction opère le passage — dont l'omniprésence cache l'importance et la singularité — d'une suite de phrases à un univers imaginaire. La dernière page de *Madame Bovary* refermée, nous restons en contact avec un certain nombre de personnages, dont nous connaissons plus ou moins la destinée ; or, ce que nous avions entre les mains n'était qu'un discours linéaire. Il ne faut pas céder à l'illusion représentative qui a longtemps contribué à occulter cette métamorphose : il n'y a pas, *d'abord*, une certaine réalité, *et ensuite*, sa représentation par le texte. Le donné, c'est le texte littéraire ; à partir de lui, par un travail de *construction* — qui se produit dans l'esprit de celui qui lit, mais n'est nullement individuel, puisque ces constructions sont analogues chez les divers lecteurs —, on atteint cet univers où des personnages vivent, comparables aux personnes que nous connaissons « dans la vie ».

Cette métamorphose du discours en fiction peut se produire grâce à un ensemble d'informations que contient le discours : ensemble nécessairement incomplet (c'est le « schématisme » du texte littéraire, dont parle Ingarden) car les « choses » ne sont jamais épuisées par leur nom ; et

il y a, de par cette absence d'absolu, mille « manières »
d'évoquer la même chose. Ces informations seront modulées
et qualifiées selon plusieurs paramètres. La distinction de
ces paramètres va nous permettre d'articuler le problème de
l' « aspect verbal » de la fiction littéraire [1].

On distinguera, dans le présent exposé, trois types de
propriétés qui caractérisent les informations nous faisant
passer du discours à la fiction. La catégorie du *mode* concerne
le degré de présence des événements évoqués dans le texte.
La catégorie du *temps* touche au rapport entre deux lignes
temporelles : celle du discours fictionnel (figurée pour nous
par l'enchaînement linéaire des lettres sur la page et des
pages dans le volume) et celle de l'univers fictif, beaucoup
plus complexe. Enfin la catégorie de la *vision* (je maintiens
ce terme qui est aujourd'hui d'un usage courant, malgré
certaines connotations indésirables) : le point de vue d'où
l'on observe l'objet et la qualité de cette observation (vraie
ou fausse, partielle ou complète). On joindra à ces trois
catégories une quatrième qui ne se situe plus sur le même
plan mais qui leur est, dans les faits, inextricablement liée :
c'est la présence du procès d'énonciation dans l'énoncé, que
nous venons d'examiner au chapitre précédent sur le plan
stylistique; elle sera envisagée ici du point de vue de la
fiction, et on s'y référera sous le terme de *voix*.

La catégorie du *mode* nous ramène assez près des registres
verbaux que nous examinions auparavant; mais le point
de vue est différent ici. Le texte de fiction doit nécessairement se situer par rapport au problème suivant : on évoque

1. Dans la suite de ce chapitre, je m'inspire de près de l'essai consacré par Gérard Genette à l'aspect verbal du récit : « Discours du
récit », dans *Figures III*, Paris, Seuil, 1972.

à l'aide de mots un univers qui est en partie fait de mots et en partie d'activités (ou substances, ou propriétés) non verbales; en conséquence, le rapport ne sera pas le même entre le discours (que nous lisons) et : soit, un autre discours, soit, une matière non discursive.

Cette distinction était désignée dans la poétique classique (chez Platon, pour commencer) par les termes de *mimesis* (récit de paroles) et *diegesis* (de « non-paroles »). A proprement parler, il n'y a pas lieu pour nous d'évoquer une mimésis quelconque (sauf dans le cas marginal de l'harmonie imitative) : les mots, on le sait, sont « immotivés ». La première fois, il s'agit plutôt de l'*insertion* dans le texte présent de paroles censément prononcées ou formulées pour soi; la deuxième, de la *désignation* de faits non verbaux par des paroles (ce qui est toujours et nécessairement « arbitraire »).

Le récit d'événements non verbaux ne connaît donc pas de variétés modales (mais seulement des variantes historiques, qui produisent avec plus ou moins de succès, selon les conventions de l'époque, l'illusion de « réalisme ») : les choses ne portent en aucune manière leur nom inscrit en elles-mêmes. En revanche, le récit de paroles connaît plusieurs espèces, car les paroles peuvent être « insérées » avec plus ou moins d'exactitude.

Gérard Genette a suggéré que l'on distingue trois degrés d'insertion : 1. Le style *direct :* le discours ne subit ici aucune modification; on parle parfois de « discours rapporté ». 2. Le style *indirect* (ou « discours *transposé* ») où l'on garde le « contenu » de la réplique censément prononcée, mais en l'intégrant grammaticalement dans le récit du narrateur. Les changements sont d'ailleurs souvent autres que grammaticaux : on abrège, on élimine les appréciations affectives, etc. Une variante, intermédiaire entre style direct

et indirect, est ce qu'on appelle en français le « style indirect
libre » : on adopte ici les formes grammaticales du style
indirect, mais on garde les nuances sémantiques de la
réplique « originale », en particulier toutes les indications
concernant le sujet d'énonciation ; il n'y a pas de verbe décla-
ratif introduisant et qualifiant la phrase transposée. 3. Le
dernier degré de transformation des paroles du personnage
est ce qu'on peut appeler le « discours *raconté* » : on se
contente ici d'enregistrer le contenu de l'acte de parole sans
en retenir aucun élément. Imaginons cette phrase : « J'in-
formai ma mère de ma décision d'épouser Albertine » ; elle
nous indique bien qu'il y a eu une action verbale, ainsi que
la teneur de celle-ci ; mais nous ignorons tout des mots
qui auraient été « réellement » (c'est-à-dire fictivement) pro-
noncés.

Le mode d'un discours consiste donc dans le degré
d'exactitude avec laquelle ce discours évoque son référent :
degré maximum dans le cas du style direct, minimum dans
celui du récit de faits non verbaux ; degrés intermédiaires dans
les autres cas.

Un autre aspect de l'information qui nous permet de
passer du discours à la fiction est le *temps*. Il existe un
problème du temps parce que deux temporalités se trouvent
mises en rapport : celle de l'univers représenté et celle du
discours le représentant. Cette différence entre l'ordre des
événements et celui des paroles est évidente, mais elle n'est
entrée de plein droit en théorie littéraire que lorsque les
Formalistes russes s'en sont servis comme l'un des indices
principaux pour opposer la *fable* (ordre des événements)
au *sujet* (ordre du discours) ; plus récemment, une tendance
des études littéraires en Allemagne a mis cette opposition

entre *Erzählzeit* et *erzählte Zeit* à la base de sa doctrine [1].

Ces faits de temporalité ont été récemment l'objet d'études attentives, ce qui nous dispensera d'y insister longuement ici [2]; on se contentera d'indiquer les principaux problèmes qui se posent dans ce cadre.

1. Le rapport le plus facile à observer est celui de l'*ordre :* celui du temps racontant (du discours) ne peut jamais être parfaitement parallèle à celui du temps raconté (de la fiction); il y a nécessairement des interversions dans l' « avant » et l' « après ». Ces interversions sont dues à la différence de nature entre les deux temporalités : celle du discours est unidimensionnelle, celle de la fiction, plurielle. L'impossibilité de parallélisme aboutit donc à des *anachronies*, dont on distinguera évidemment deux espèces principales : les *rétrospections*, ou retours en arrière, et les *prospections*, ou anticipations. Il y a prospection lorsqu'on annonce d'avance ce qui arrivera après : l'exemple canonique des Formalistes était la nouvelle de Tolstoï *la Mort d'Ivan Ilitch* qui contient son dénouement dans le titre. Les rétrospections, plus fréquentes, nous relatent *après* ce qui est arrivé *avant :* dans le récit classique, l'introduction d'un nouveau personnage est habituellement suivie d'un récit de son passé, sinon d'une évocation de ses ancêtres. Ces deux espèces peuvent se combiner entre elles, théoriquement jusqu'à l'infini (rétrospection dans prospection dans rétrospection... : cf. cette phrase de Proust citée par Genette : « Bien des

1. Cf. G. Müller, « Erzählzeit und erzählte Zeit », in *Festschrift für P. Kluckhohn und H. Schneider*, 1948, p. 195-212; cf. aussi E. Lämmert, *Bauformen des Erzählens*, Stuttgart, J.B. Metzlersche Verlagsbuchhandlung, 1955 (traduction française à paraître).
2. Cf. A.A. Mendilow, *Time and the Novel*, Londres, 1952; D. Likhatchev, *Poètika drevnerusskoj literatury*, Leningrad, 1967, p. 212-352; J. Ricardou, *Problèmes du nouveau roman*, Paris, Seuil, 1967, p. 161-171; G. Genette, *Figures III*, Paris, Seuil, 1972, p. 77-182.

années plus tard nous apprîmes que si cet été-là nous avions
mangé presque tous les jours des asperges, c'était parce
que leur odeur donnait à la pauvre fille de cuisine chargée
de les éplucher des crises d'asthme d'une telle violence
qu'elle fut obligée de finir par s'en aller »). D'autre part,
on peut distinguer entre la *portée* de l'anachronie (la distance
temporelle entre les deux moments de la fiction) et son
amplitude (durée enveloppée par le récit donné en digression);
selon que l'anachronie se recoupe ou non avec le récit principal, on peut la qualifier d'*interne* ou d'*externe*. Le récit
(nécessairement) successif de deux événements simultanés
sera par exemple une anachronie « interne », de « portée »
nulle.

2. Au point de vue de la *durée*, on peut comparer le
temps qu'est censée durer l'action représentée avec le temps
dont on a besoin pour lire le discours qui l'évoque. En fait,
ce dernier temps ne se laisse pas mesurer montre en main, et
on est amené toujours à parler de valeurs relatives. Plusieurs
cas se laissent clairement distinguer ici. 1. La suspension du
temps, ou *pause*, se réalise lorsque au temps du discours ne
correspond aucun temps fictionnel : ce sera le cas de la
description, des réflexions générales, etc. 2. Le cas inverse
est celui où aucune portion du temps discursif ne correspond
au temps qui s'écoule dans la fiction : c'est évidemment
l'omission de toute période, ou *ellipse*. 3. Nous connaissons déjà le troisième cas fondamental, celui d'une coïncidence parfaite entre les deux temps : elle ne peut se réaliser
qu'à travers le style direct, insertion de la réalité fictive dans
le discours, donnant ainsi lieu à une *scène*. 4. Enfin deux
cas intermédiaires sont concevables : ceux où le temps du
discours est « plus long » ou « plus court » que celui de la
fiction. Il semble que la première variante nous ramène

immanquablement vers deux autres possibilités déjà rencontrées, la description ou l'anachronie (pensons par exemple aux vingt-quatre heures de la vie de Leopold Bloom qu'on aurait du mal à lire en vingt-quatre heures : ce qui « gonfle » le temps ce sont précisément les achronies et les anachronies). La seconde est largement attestée : c'est le *résumé*, qui condense des années entières en une phrase.

3. Une dernière propriété essentielle du rapport entre temps du discours et temps de la fiction, est la *fréquence*. Trois possibilités théoriques sont offertes ici : un récit *singulatif* où un discours unique évoque un événement unique; un récit *répétitif*, où plusieurs discours évoquent un seul et même événement; enfin un discours *itératif*, où un seul discours évoque une pluralité d'événements (semblables). Le récit singulatif se passe de commentaires. Le récit répétitif peut résulter de divers processus : reprise obsédante de la même histoire par le même personnage; récits complémentaires de plusieurs personnes sur le même fait (ce qui crée une illusion « stéréoscopique »); récits contradictoires d'un ou de plusieurs personnages, qui nous font douter de la réalité ou de la teneur exacte d'un événement particulier. On sait le profit qu'en ont tiré les romanciers anglais du XVIIIe siècle, en particulier dans leurs œuvres épistolaires (Richardson, Smollett); dans *les Liaisons dangereuses*, Laclos en use pour mettre en évidence la naïveté des uns (Cécile, Danceny, Mme de Tourvel), la perfidie des autres (Valmont, Mme de Merteuil). Ces procédés engagent évidemment d'autres éléments de l' « aspect verbal »; retenons ici la nécessaire « déformation » temporelle qui en résulte, puisque à la succession des discours ne correspond plus une succession d'événements.

Le récit itératif, enfin, qui consiste à désigner par un seul discours (une phrase) des événements qui se répètent, est un procédé connu de toute la littérature classique, où il joue cependant un rôle limité : l'écrivain évoque habituellement un état stable initial à l'aide de verbes à l'imparfait (à valeur itérative), avant d'introduire la série d'événements singuliers qui constitueront son récit proprement dit. Comme l'a montré Genette, Proust est un des premiers à avoir accordé à l'itératif un rôle dominant — à tel point que se trouvent racontés sur ce mode des faits dont il est absolument certain qu'ils n'ont pas pu se produire plus d'une fois (Proust crée un « pseudo-itératif » : ainsi de certaines conversations qui ne sauraient probablement pas se répéter sans changement, et que Proust introduit néanmoins par des formules du genre : « Et si Swann lui demandait ce qu'elle entendait par là, elle lui répondait avec un peu de mépris », etc.). L'effet global de ce procédé peut être une certaine suspension du temps événementiel.

4. L'aspect verbal : Visions. Voix

La troisième grande catégorie qui permet de caractériser le passage entre discours et fiction, c'est celle de la *vision* : les faits qui composent l'univers fictif ne nous sont jamais présentés « en eux-mêmes », mais selon une certaine optique, à partir d'un certain point de vue. Ce vocabulaire visuel est métaphorique, ou plutôt synecdochique : la « vision » tient lieu ici de la perception entière; mais c'est une métaphore commode, car les multiples caractéristiques de la « vraie » vision ont toutes des équivalents dans le phénomène de fiction.

On n'a pas accordé beaucoup d'attention au problème des visions avant le début du XX⁰ siècle; c'est sans doute pourquoi, à partir de ce moment, on a cru y voir le secret même de l'art littéraire. Le livre de Percy Lubbock, qui est la première étude systématique consacrée à cette question, s'appelle significativement *The Craft of Fiction*. Le fait est que l'importance des visions est de tout premier ordre. Nous n'avons jamais affaire, en littérature, à des événements ou à des faits bruts, mais à des événements présentés d'une certaine façon. Deux visions différentes du même fait en font deux faits distincts. Tous les aspects d'un objet se déterminent par la vision qui nous en est offerte. Cette importance a toujours été relevée dans les arts visuels, et la théorie littéraire peut beaucoup apprendre de la théorie de la peinture. Pour ne citer qu'un exemple parmi d'autres, on a souvent remarqué la présence des visions, et leur rôle décisif pour la structure du tableau, dans les icônes byzantines : il est manifeste que plusieurs points de vue sont, à l'intérieur d'une même icône, utilisés suivant le rôle que doit jouer le personnage représenté : la figure principale est tournée vers le spectateur, alors même que, selon la scène représentée, elle devrait l'être vers son interlocuteur.

Il est important de noter que les visions littéraires ne concernent pas la perception réelle du lecteur, qui reste toujours variable et dépend de facteurs externes à l'œuvre, mais une perception présentée à l'intérieur de cette œuvre, encore que sur un mode spécifique. Ici encore, l'histoire de la peinture offre des exemples éloquents. Il suffit de rappeler les tableaux *anamorphiques*, dessins chiffrés, incompréhensibles lorsqu'ils sont vus de face, point de vue le plus fréquent; mais qui, d'un point de vue particulier (en général, parallèle au tableau), offrent l'image d'objets bien connus. Cette distorsion entre le point de vue inhérent à l'œuvre et le point de vue le plus fréquent, met en évidence la réalité du premier ainsi que l'importance des visions pour la compréhension de l'œuvre.

Il existe déjà plusieurs théories des visions en littérature : on peut même dire que c'est l'aspect de l'œuvre qui a été, en ce siècle, le mieux étudié par la poétique. A la suite du livre mentionné de Lubbock, il faut citer ici — et ce n'est qu'une indication rapide — les ouvrages de Jean Pouillon, *Temps et roman;* de Wayne Booth, *Rhetoric of Fiction;* de B. Uspenski, *Poètika kompozicii;* de Gérard Genette sur le « Discours du récit ». Ces recherches ont éclairé de nombreux aspects de notre problème et on doit s'y référer pour une discussion plus détaillée. Pour notre part, nous nous attacherons ici — à l'encontre de la plupart des études citées — non à la description des espèces particulières de la vision, mais à celle des catégories qui permettent la distinction entre ces espèces. Chaque exemple de vision, en effet, tel qu'il a été étudié jusqu'à présent, combine plusieurs caractéristiques distinctes, que nous aurons intérêt à examiner successivement.

1. La première catégorie à laquelle nous nous arrêterons est celle de la connaissance *subjective* ou *objective* que nous avons des événements représentés (on gardera ces termes en attendant d'en trouver de meilleurs...). Une perception nous informe aussi bien sur ce qui est perçu que sur celui qui perçoit : c'est le premier type d'information que nous appelons objective, le second, subjective. Il ne faut pas confondre ce fait avec la possibilité de présenter un récit entier « à la première personne » : que la narration soit menée à la première ou à la troisième personne, elle peut toujours nous livrer les deux types d'information. Henry James appelait les personnages qui sont non seulement

perçus mais aussi percevants des « réflecteurs » : si les autres personnages sont avant tout des images réfléchies dans une conscience, le réflecteur est cette conscience même. Pour ne donner qu'un exemple : dans la *Recherche du temps perdu*, nous tirons la plupart de nos informations sur Marcel non de ses actes mais de la manière dont il perçoit et juge ceux des autres.

2. Cette première catégorie qui concerne, en somme, la *direction* du travail de construction auquel se livre le lecteur (à partir d'une perception, on se tourne vers son sujet ou vers son objet) doit être distinguée nettement d'une seconde, qui concerne non plus la qualité mais la quantité d'information reçue, ou, si l'on préfère, le degré de *science* du lecteur. En s'en tenant toujours à la métaphore visuelle, on peut séparer, à l'intérieur de cette seconde catégorie, deux notions distinctes : l'*étendue* (ou l'angle) de la vision, et sa *profondeur* ou le degré de sa pénétration.

Pour ce qui est de l' « étendue », les deux pôles extrêmes sont habituellement désignés comme vision *interne* et *externe*, ou encore « du dedans » et « du dehors ». En fait, la vision purement « externe », celle qui se contente de décrire des actes perceptibles sans les accompagner d'aucune interprétation, d'aucune incursion dans la pensée du protagoniste, n'existe jamais à l'état pur : elle mènerait dans l'inintelligible.

Ce n'est pas un hasard d'ailleurs si cette technique a trouvé une utilisation aussi poussée dans les romans policiers de Dashiel Hammett où elle sert à renforcer le mystère. Il s'agit donc moins d'une opposition interne-externe que de degrés dans la présence de l' « interne ». La vision la plus interne serait celle qui nous présente toutes les pensées du personnage. Ainsi dans *les Liaisons dangereuses*, Valmont et Merteuil voient les autres personnages « de l'intérieur », alors que la petite Volanges ne peut faire que décrire le comportement de ceux qui l'entourent, ou en donner des interprétations erronées. Le contraste est aussi fort entre les visions de Quentin et de Benjy dans *le Bruit et la fureur*.

On distinguera l' « angle » ainsi défini de la vision et sa « profondeur » : on peut ne pas se contenter de la « surface », qu'elle soit physique ou psychologique, mais vouloir pénétrer dans les intentions inconscientes des personnages, présenter une dissection de leur esprit (dont eux-mêmes ne seraient pas capables).

Prenons un exemple illustrant ces deux catégories de la « direction » et de la « science ».

« Il regardait cependant Mme Dambreuse, et il la trouvait charmante, malgré sa bouche un peu longue et ses narines trop ouvertes. Mais sa grâce était particulière. Les boucles de sa chevelure avaient comme une langueur passionnée, et son front couleur d'agate semblait contenir beaucoup de choses et dénotait un maître » *(l'Éducation sentimentale)*.

Nous disposons ici d'une information objective sur Mme Dambreuse, et subjective, sur Frédéric, que nous tirons de sa manière de percevoir et d'interpréter. La perception de Mme Dambreuse se fait selon un angle relativement réduit : on ne nous en donne que les qualités physiques. Frédéric avance quelques interprétations; mais notons combien prudemment elles sont introduites : la langueur est précédée d'un « comme », son front « semble » contenir et « dénote » (verbe équivalent à « signifier », non à « être »). Flaubert n'authentifie donc aucune des suppositions de son « réflecteur ».

3. Il faut introduire ici deux catégories qui nous permettront d'établir des sous-espèces des visions, mais qui n'ont rien d' « optique » à proprement parler : ce sont les oppositions entre unicité et multiplicité, d'une part; constance et variabilité, de l'autre. En effet, chacune des catégories précédentes peut être modulée selon ces nouveaux paramètres : *un seul* personnage peut être vu « du dedans » (et cela mène à la « focalisation interne »), ou *tous* — ce qui produit le récit à « narrateur omniscient ». Le second cas est celui de Boccace : dans *le Décaméron*, le narrateur connaît pareillement les intentions de tous les personnages. Le premier est celui du roman plus récent; le principe a été appliqué avec une rigueur particulière par Henry James. De même, une vision interne peut s'appliquer à un personnage tout au long du récit ou pendant une de ses parties seulement (comme c'est le cas pour *Camps retranché* de John Cowper Powys); et ces changements dans la vision peuvent être systématiques ou non. Si par exemple James voit « du dedans », au cours d'un même roman, plusieurs personnages, le passage de l'un à l'autre suit un dessin rigoureux, qui forme parfois l'armature même du livre. Mais la pratique de James ne signifie nullement que ce cas est le plus répandu — ni même le plus souhaitable.

Notons aussi avec Uspenski que le changement dans le point de vue — en particulier le passage d'une vision externe à une vision interne — assume une fonction comparable à celle du cadre dans le tableau : il sert de transition entre l'œuvre et son environnement (la « non-œuvre ») [1].

---

1. Cf. B. Uspenski, « L'alternance des points de vue interne et externe en tant que marque du cadre dans une œuvre littéraire », *Poétique*, 9, 1972, p. 130-134.

4. Nos informations sur l'univers fictif peuvent être de nature objective ou subjective; elles peuvent être plus ou moins étendues (internes et externes); mais il est une dimension encore par laquelle nous devons les caractériser : elles peuvent être *absentes* ou *présentes* et, dans ce dernier cas, *vraies* ou *fausses*. Nous avons parlé jusqu'ici comme si ces informations étaient toujours vraies; mais il aurait suffi que Frédéric interprète mal la forme des boucles de Mᵐᵉ Dambreuse et que nous lui fassions aveuglément confiance, pour que nous nous trouvions face non à une information mais à une illusion. Cette vision imparfaite ne s'accompagne pas nécessairement de l'*erreur* d'un personnage : il peut s'agir d'une *dissimulation* délibérée.

Pour croire en une illusion, il faut disposer d'une information, fût-elle fautive. Le cas extrême est également possible, d'une absence totale d'information : nous ne sommes plus dans l'illusion mais dans l'*ignorance*. N'oublions pas, en même temps, qu'aucune description n'est jamais complète, de par la nature même du langage; on ne peut donc reprocher à aucune d'être incomplète, aussi longtemps qu'une page ultérieure ne nous apprend qu'en un point précis du récit quelque chose nous a été dissimulé (l'exemple qui vient le premier à l'esprit — mais qui n'est que le plus éclatant parmi mille autres — est celui du *Meurtre de Roger Ackroyd*, où le narrateur « omet » de nous dire qu'il a commis le meurtre...). Ignorances et illusions suscitent donc deux types de « corrections » (à partir desquelles seulement elles commencent à exister) : les informations au sens étroit et les réinterprétations de ce que nous savions déjà — mais imparfaitement.

5. On identifiera enfin, au sein de la vision, une catégorie un peu à part, qui est l'*appréciation* portée sur les événements

représentés. La description de chaque partie de l'histoire peut comporter une évaluation morale; l'absence d'un tel jugement constitue d'ailleurs une prise de position tout aussi significative. Il n'est pas nécessaire, pour que cette appréciation nous atteigne, qu'elle soit formulée explicitement : pour deviner l'appréciation portée, nous avons recours à un code de principes et de réactions psychologiques qui se donnent comme « naturels ». Tout comme le lecteur n'est pas obligé de s'en tenir à une vision « externe » mais peut déduire un « intérieur » tout différent, ici il peut ne pas accepter les jugements éthiques et esthétiques inhérents à la vision; l'histoire de la littérature connaît de nombreux exemples d'un renversement des valeurs qui nous fait estimer les « méchants » et mépriser les « bons » d'une fiction suffisamment éloignée de nous.

Après l'exploitation fiévreuse des procédés suscités par la prise de conscience des visions, chez une série d'écrivains qui va de Henry James à Faulkner, la littérature semble ne plus attacher la même importance à cette question. La raison en est peut-être qu'une certaine tendance de l'écriture moderne ne se propose pas de nous faire *voir* quoi que ce soit : elle est discours sans être fiction. Voici comment s'articule un texte sans vision :

« J'ai l'air de parler, ce n'est pas moi, ce n'est pas de moi. Ces quelques généralisations pour commencer. Comment faire, comment vais-je faire, comment procéder? Par pure aporie ou bien par affirmations et négations infirmées au fur et à mesure, ou tôt ou tard. Cela d'une façon générale. Il doit y avoir d'autres biais. Sinon ce serait à désespérer de tout. Mais c'est à désespérer de tout » (S. Beckett, l'*Innommable*).

Dans ce discours qui revient sans cesse sur lui-même, qui

ne traite de rien d'autre que de lui-même, il n'y a plus place pour les visions. Leur rôle est assuré par les registres de la parole : si chez James l'armature d'une œuvre était formée par le jeu des visions, chez Maurice Roche elle l'est par la disposition particulière des registres. On touche ici une limite : celle de la pertinence que peut avoir l'étude de l'aspect verbal du texte, puisque cet aspect est en rapport de solidarité avec la fiction même.

Toutes les catégories de l'aspect verbal examinées jusqu'ici pourraient être reprises dans une perspective différente, où l'on ne mettrait plus le discours en rapport avec la fiction qu'il crée, mais l'ensemble des deux avec celui qui assume ce discours, le « sujet de l'énonciation » ou, comme on dit habituellement en littérature, le *narrateur*. Cela nous amène aux problèmes de la *voix* narrative.

Le narrateur est l'agent de tout ce travail de construction que nous venons d'observer; par conséquent, tous les ingrédients de celui-ci nous renseignent indirectement sur celui-là. C'est le narrateur qui incarne les principes à partir desquels sont portés des jugements de valeur; c'est lui qui dissimule ou révèle les pensées des personnages, nous faisant ainsi partager sa conception de la « psychologie »; c'est lui qui choisit entre le discours direct et le discours transposé, entre l'ordre chronologique et les bouleversements temporels. Il n'y a pas de récit sans narrateur.

Toutefois, les degrés de présence du narrateur peuvent, eux aussi, varier beaucoup. Non seulement parce que ses interventions, telles qu'on vient de les évoquer, peuvent être plus ou moins discrètes. Mais parce que le récit possède un moyen supplémentaire pour rendre le narrateur présent : c'est de le faire figurer à l'intérieur de l'univers fictif. La différence entre les deux cas est si grande qu'on a parfois utilisé deux termes distincts pour les caractériser, parlant de narrateur lors d'une telle représentation explicite seulement, et réservant le terme d'*auteur implicite* pour le cas général. Il ne faut pas croire que l'apparition de la première personne (« je ») suffit pour distinguer l'un de l'autre : le narrateur peut dire « je » sans intervenir dans l'univers fictif, en se représentant non comme un personnage mais comme un auteur écrivant le livre (l'exemple classique est celui de *Jacques le Fataliste*).

On a parfois eu tendance à minimiser le rôle de cette opposition, et cela à partir d'une conception réductionniste du langage. Or, il y a une limite infranchissable entre le récit où le narrateur voit tout ce que voit son personnage mais n'apparaît pas sur scène, et le récit où un personnage-narrateur dit « je ». Les confondre serait réduire le langage à zéro. Voir une maison, et dire « Je vois une maison » sont deux actes non seulement distincts mais opposés. Les événements ne peuvent jamais « se raconter eux-mêmes »; l'acte de verbalisation est irréductible. Sinon, on confondrait le « je » avec le véritable sujet de l'énonciation, qui raconte le livre. Dès que le sujet de l'énonciation devient sujet de l'énoncé, ce n'est plus le même sujet qui énonce. Parler de soi-même signifie ne plus être le même « soi-même ». L'auteur est innommable : si on veut lui donner un nom, il nous laisse le nom mais ne se retrouve pas derrière lui; il se réfugie éternellement dans l'anonymat. Il est tout aussi fuyant que n'importe quel sujet de l'énonciation, lequel, par définition, ne peut être représenté. Dans « Il court », il y a « il », sujet de l'énoncé, et « moi », sujet de l'énonciation. Dans « Je cours », *un sujet de l'énonciation énoncé* s'intercale entre les deux, en prenant à chacun une partie de son contenu précédent mais sans les faire disparaître entièrement : il ne fait que les immerger. Car le « il » et le

« moi » existent toujours : ce « je » qui court n'est pas le même que celui qui énonce. « Je » ne réduit pas deux à un mais de deux fait trois.

Le narrateur véritable, le sujet de l'énonciation du texte où un personnage dit « je », n'en est que plus travesti. Le récit à la première personne n'explicite pas l'image de son narrateur, mais au contraire la rend plus implicite encore. Et tout essai d'explicitation ne peut mener qu'à une dissimulation de plus en plus parfaite du sujet de l'énonciation; ce discours qui s'avoue discours ne fait que cacher pudiquement sa propriété de discours.

Mais il serait tout aussi erroné de détacher entièrement ce narrateur de l'« auteur implicite » et de le considérer simplement comme un personnage parmi d'autres. La comparaison du récit avec le drame pourrait être éclairante ici. Dans ce dernier cas, chaque personnage est (et n'est que) une source de paroles. Mais la différence entre les deux formes littéraires est plus profonde : dans un récit où le narrateur dit « je », un personnage joue parmi tous les autres un rôle à part; dans le drame, tous sont au même niveau. Et ce personnage-narrateur se trouve dessiné différemment des autres : si nous pouvons lire et les répliques des personnages et leur description par le narrateur, le personnage-narrateur, lui, n'existe que dans sa parole. Plus exactement, le narrateur ne *parle* pas, comme le font les protagonistes du récit, il *raconte*. Ainsi, loin de fondre en lui le héros et le narrateur, celui qui « raconte » le livre a une position tout à fait unique : différent aussi bien du personnage qu'il aurait été si on l'appelait « il », que du narrateur (auteur implicite) qui est un « je » potentiel.

Il faut ajouter que ce personnage-narrateur peut jouer un rôle central dans la fiction (être le personnage principal) ou, au contraire, n'être qu'un témoin discret. Un exemple du premier cas, parmi beaucoup d'autres : *les Notes d'un souterrain;* du second, *les Frères Karamazov.* Entre les deux se situent d'innombrables cas intermédiaires où l'on trouvera (pour ne citer que quelques exemples divergents) Zeitblom dans *Docteur Faustus,* Tristram Shandy — ainsi que le célèbre docteur Watson.

Dès l'instant où l'on identifie le narrateur (au sens large) d'un livre, il faut reconnaître aussi l'existence de son « partenaire », celui à qui s'adresse le discours énoncé et qu'on appelle aujourd'hui le *narrataire* [1]. Le narrataire n'est pas le lecteur réel, pas plus que le narrateur n'est l'auteur : il ne faut pas confondre le rôle avec l'acteur qui l'assume. Cette apparition simultanée n'est qu'une instance de la loi sémiotique générale selon laquelle « je » et « tu » (ou plutôt : l'émetteur et le récepteur d'un énoncé) sont toujours solidaires. Les fonctions du narrataire sont multiples : « il constitue un relais entre narrateur et lecteur, il aide à préciser le cadre de la narration, il sert à caractériser le narrateur, il met certains thèmes en relief, il fait progresser l'intrigue, il devient le porte-parole de la morale de l'œuvre » (Prince, *op. cit.*). Son étude est tout aussi nécessaire à la connaissance du récit que celle du narrateur.

5. L'aspect syntaxique : Structures du texte

On se tournera maintenant vers le dernier groupe de problèmes de l'analyse littéraire, que nous avons réunis sous le nom d'aspect syntaxique du texte. On postule ici

1. Cf. Gerald Prince, « Introduction à l'étude du narrataire », *Poétique*, 14, 1973, p. 178-196.

que tout texte se laisse décomposer en unités minimales. C'est le type de relations qui s'établit entre ces unités coprésentes qui nous servira de critère premier pour distinguer entre elles plusieurs structures textuelles.

Il est nécessaire d'affirmer d'abord, en vue des distinctions qui vont suivre, qu'il est quasi impossible de les trouver séparées : une œuvre particulière utilise à la fois plusieurs types de relation entre ses unités, et obéit donc à la fois à plusieurs ordres. Si l'on dit qu'un livre illustre plutôt telle structure que telle autre, c'est que la relation en question y est prédominante. Cette notion de *dominance* ou d'*importance* est apparue plusieurs fois déjà dans la présente étude, mais il ne nous est pas encore possible de l'expliciter entièrement. On se contentera de dire que cette dominance a des aspects quantitatifs (elle désigne le type de relation le plus fréquent entre unités) aussi bien que qualitatifs (ces relations entre unités apparaissent à des moments privilégiés).

Nous distinguerons deux types principaux d'organisation du texte, suivant en cela une suggestion de Tomachevski : « La disposition des éléments thématiques se fait selon deux types principaux : ou bien ils obéissent au principe de causalité en s'inscrivant dans une certaine chronologie; ou bien ils sont exposés sans considération temporelle, soit : dans une succession qui ne tient compte d'aucune causalité interne » *(Théorie de la littérature, p. 267)*. On appellera le premier type l'ordre logique et temporel, le second — que Tomachevski identifie négativement — l'ordre spatial.

1. *L'ordre logique et temporel.*

La majorité des livres de fiction du passé s'organisent selon un ordre qu'on peut qualifier à la fois de temporel et logique;

ajoutons aussitôt que la relation logique à laquelle on pense habituellement est l'implication, ou, comme on dit couramment, la *causalité*.

La causalité est étroitement liée à la temporalité; il est même facile de les confondre. Voici comment leur différence est illustrée par Forster, qui suppose que tout roman possède l'une et l'autre mais que la première en forme l'intrigue, la seconde, le récit : « " Le roi mourut et ensuite la reine mourut " est un récit. " Le roi mourut et ensuite la reine mourut *de chagrin* " est une intrigue » *(Aspects of the Novel)*.

Mais si presque tout récit causal possède aussi un ordre temporel, nous n'arrivons que rarement à percevoir ce dernier. La raison en est un certain état d'esprit déterministe, que nous attachons inconsciemment au genre même du récit. « Le ressort de l'activité narrative est la confusion même de la consécution et de la conséquence, ce qui vient *après* étant lu dans le récit comme *causé par;* le récit serait, dans ce cas, une application systématique de l'erreur logique dénoncée par la scolastique sous la formule *post hoc, ergo propter hoc* », écrit Roland Barthes [1]. La suite logique est aux yeux du lecteur une relation beaucoup plus forte que la suite temporelle; si les deux vont ensemble, il ne voit que la première.

Il est possible de concevoir des cas où le logique et le temporel se rencontrent à l'état pur, séparés l'un de l'autre; mais nous serons alors obligés de quitter le champ de ce qu'on appelle habituellement la littérature. L'ordre chronologique pur, dépourvu de toute causalité, est dominant dans la chronique, les annales, le journal intime ou « de bord ». La causalité pure domine le discours axiomatique (celui

---

1. *Communications*, 8, 1966.

du logicien) ou le discours téléologique (souvent celui de
l'avocat, de l'orateur politique). En littérature, on trouve
une version de la causalité pure dans le genre du *portrait*,
ou dans d'autres genres descriptifs, où la suspension du temps
est obligatoire (un exemple caractéristique : la nouvelle *Une
petite femme* de Kafka). Parfois, à l'inverse, une littérature
« temporelle » refuse, en apparence tout au moins, la soumission à la causalité. Ces œuvres peuvent prendre carrément
la forme d'une chronique ou d'une « saga », ainsi les *Budden-
broocks*. Mais l'exemple le plus frappant de soumission à
l'ordre temporel est *Ulysse* de Joyce. La seule, ou à tout le
moins la principale relation entre les actions, est leur pure
succession : on nous rapporte, minute après minute, ce qui
se passe dans un certain endroit ou dans l'esprit du personnage. Les digressions, telles que les connaissait le roman
classique, ne sont plus possibles ici, car elles signaleraient
l'existence d'une structure autre que temporelle; la seule
forme sous laquelle on peut les admettre, sont les rêves et
les souvenirs des personnages [1].

Ces cas exceptionnels ne font que mettre en évidence
la solidarité habituelle entre temporalité et causalité, où
c'est la dernière qui joue le rôle dominant. Mais la causalité
peut, elle aussi, s'analyser en plusieurs espèces. Dans la

---

1. Cette forme de temporalité référentielle n'est pas la seule que
le récit connaisse. A côté de la temporalité de l'énoncé, il existe aussi une
temporalité de l'énonciation, qui est formée par l'enchaînement des
« instances du discours », c'est-à-dire des coordonnées temporelles que
le discours donne sur sa propre énonciation; c'est cette instance
même qui définit le temps présent comme temps de l'énonciation;
l'œuvre obéissant à cette temporalité est dans un présent incessant. On
peut appeler cette deuxième temporalité le « temps de l'écriture »,
par opposition au temps représenté. Parfois l'œuvre est constituée par
le jeu explicite de ces deux temporalités. Ainsi *l'Emploi du temps* de
Michel Butor, où le temps de l'écriture joue un rôle de plus en plus
grand pour écraser, à la fin du livre, dans une coïncidence ultime des
deux temporalités, le temps représenté : le narrateur n'a plus le temps
de nous raconter l'histoire.

perspective qui est la nôtre, une opposition importe plus
que toute autre : c'est de savoir si les unités minimales
de causalité entrent dans un rapport immédiat l'une avec
l'autre, ou si elles ne le font que par l'intermédiaire d'une
loi générale dont elles se trouvent être les illustrations.
Étant donné l'usage fait de l'une et l'autre causalité, on
désignera un récit où prédomine la première causalité
comme récit *mythologique*, et celui où la seconde le fait
comme *idéologique*.

a) Le récit que nous appelons ici *mythologique* est celui
qui a suscité, le premier, des travaux d'inspiration « structurale ». Reprenant les idées des Formalistes, ses contempo-
rains, le folkloriste russe Vladimir Propp a publié, en 1928,
la première étude systématique de ce type de récit [1]. Propp
s'intéresse, il est vrai, à un genre unique, qui est le conte
de fées; et il ne l'étudie que sur des exemples russes; mais
on a cru y voir les éléments premiers de tout récit de ce
type, et les nombreuses études qui s'en sont inspirées vont
habituellement dans le sens de la généralisation [2]. Nous
reviendrons plus en détail sur ce type de récit dans les
chapitres suivants.

La causalité immédiate ne doit pas être réduite au seul
rapport entre *actions* (comme Propp a tendance à le faire) : il
est également possible que l'action provoque un état ou
soit provoquée par un état. Cela nous amène aux récits
dits « psychologiques » (mais nous verrons que ce terme
peut recouvrir des réalités différentes). Dans son « Introduction à l'analyse structurale des récits », Roland Barthes a
montré combien il était nécessaire de nuancer la notion de

1. V. Propp, *Morphologie du conte*, Paris, Seuil, 1970.
2. Pour une vue d'ensemble sur ces développements, cf. Cl. Bremond,
Logique du récit, Paris, Seuil, 1973; et Ph. Hamon, « Mise au point
sur les problèmes de l'analyse du récit », *Le Français moderne*, 40 (1972),
p. 200-221.

causalité : à côté des unités qui causent ou sont causées par des unités semblables (appelées par lui « fonctions »), il existe un autre type d'unités, appelées « indices », qui renvoient « non à un acte complémentaire et conséquent, mais à un concept plus ou moins diffus, nécessaire cependant au sens de l'histoire : indices caractériels concernant les personnages, informations relatives à leur identité, notations d' " atmosphère ", etc. ».

b) Le récit *idéologique* n'établit pas de rapport direct entre les unités qui le constituent; mais celles-ci apparaissent à nos yeux comme autant de manifestations d'une même idée, d'une seule loi. Il devient parfois nécessaire de pousser l'abstraction assez loin pour trouver le rapport entre deux actions dont la coprésence apparaît à première vue purement contingente.

Observons de plus près un exemple : *Adolphe* de Constant. Les règles qui régissent le comportement des personnages sont ici deux, essentiellement. La première découle de la logique du désir telle qu'elle est affirmée par ce livre; on pourrait la formuler ainsi : on désire ce qu'on n'a pas, on fuit ce qu'on a. Par conséquent, les obstacles renforcent le désir, et toute aide l'affaiblit. Un premier coup sera porté à l'amour d'Adolphe lorsque Ellénore quittera le comte de P*** pour venir vivre auprès de lui. Un second, lorsqu'elle se dévoue pour le soigner, à la suite de la blessure qu'il a reçue. Chaque sacrifice d'Ellénore exaspère Adolphe : il lui laisse encore moins de choses à désirer. En revanche, lorsque le père d'Adolphe décide de provoquer la sépara-tion des deux, l'effet est inverse et Adolphe l'énonce explicite-ment : « En croyant me séparer d'elle, vous pourriez bien m'y rattacher à jamais. » Le tragique de cette situation tient à ce que le désir, pour obéir à cette logique particulière, ne cesse pas pour autant d'être désir : c'est-à-dire de causer le malheur de celui qui ne sait pas le satisfaire.

La seconde loi de cet univers, morale également, sera ainsi formulée par Constant : « La grande question dans la vie, c'est la douleur que l'on cause, et la métaphysique la plus ingénieuse ne justifie pas l'homme qui a déchiré le cœur qui l'aimait. » On ne peut pas régler sa vie sur la recherche du bien, le bonheur de l'un étant toujours le malheur de l'autre. Mais on peut l'organiser à partir de l'exigence de faire le moins de mal possible : cette valeur négative sera la seule à avoir ici un statut absolu. Les commandements de cette loi l'emporteront sur ceux de la première, lorsque les deux sont en contradiction. C'est ce qui fera qu'Adolphe aura tant de mal à dire la « vérité » à Ellénore. « En parlant ainsi, je vis son visage couvert tout à coup de pleurs : je m'arrêtai, je revins sur mes pas, je désavouai, j'expliquai » (ch. 4). Au chapitre 6, Ellénore entend tout jusqu'au bout; elle tombe sans connaissance, et Adolphe ne peut que la rassurer sur son amour. Au chapitre 8, il a un prétexte pour la quitter, mais n'en profitera pas : « Pouvais-je la punir des imprudences que je lui faisais commettre, et, froidement hypocrite, chercher un prétexte dans ces imprudences pour l'abandonner sans pitié? » La pitié prime sur le désir.

Ainsi, des actions isolées et indépendantes, accomplies souvent par des personnages différents, révèlent la même règle abstraite, la même organisation idéologique.

La littérature du xxᵉ siècle a apporté des correctifs sérieux aux anciennes images de la causalité. Très souvent, elle a cherché à sortir entièrement de sa domination; mais même lorsqu'elle s'y soumet, elle l'a considérablement transformée. D'une part, dès la fin du siècle précédent,

les écrivains ont fortement diminué l'importance absolue
des événements décrits : alors qu'auparavant les exploits,
l'amour et la mort constituaient le terrain de prédilection
de la littérature, celle-ci se tourne avec Flaubert, Tchékhov
et Joyce vers l'insignifiant, le quotidien; et sa causalité
ressemble à un pastiche de causalité. D'autre part, une
littérature d'inspiration initialement fantastique a remplacé
la causalité du bon sens par une causalité pour ainsi dire
irrationnelle; nous sommes là dans le domaine de l'anti-
causalité, mais c'est encore celui de la causalité. Cela vaut
pour les récits de Kafka ou de Gombrowicz et, d'une
manière différente, pour la récente « littérature de l'absurde ».
Une causalité évidemment assez différente de celle de Boccace.

En traitant de la causalité, il faut éviter de la réduire à ce
qu'on pourrait appeler la causalité *explicite*. Il y a une
différence entre « Jean jette une pierre. La fenêtre se brise »
et « La fenêtre se brise *parce que* Jean jette une pierre ».
La causalité est tout aussi présente dans un cas que dans
l'autre, mais c'est dans le deuxième seulement qu'elle est
explicite. On a souvent utilisé cette distinction pour distinguer les bons ou les mauvais écrivains, ces derniers cultivant
la causalité explicite; mais cette affirmation semble sans
fondement. Ainsi, on dit que la littérature de masse (policiers, science-fiction, espionnage) se caractérise par sa causalité évidente et grossière; mais on a vu que Hammett est le
type même de l'écrivain qui supprime les indications
d'ordre causal.

Si un récit s'organise suivant un ordre causal, mais garde
une causalité implicite, il oblige par là même le lecteur
virtuel à accomplir le travail auquel le narrateur s'est refusé.
Dans la mesure où cette causalité est nécessaire pour la
perception de l'œuvre, le lecteur doit y suppléer; il se voit

alors beaucoup plus déterminé par l'œuvre que dans le cas contraire : c'est à lui qu'incombe, en fait, de reconstituer le récit. On pourrait dire que tout livre exige une certaine quantité de causalité; le narrateur et le lecteur la fournissent à eux deux, leurs efforts se trouvant inversement proportionnels.

2. *L'ordre spatial.*

Les œuvres organisées selon cet ordre ne sont pas appelées habituellement « récit »; le type de structure en question a été dans le passé plus répandu en poésie qu'en prose. C'est aussi à l'intérieur de la poésie qu'il a été surtout étudié. On peut caractériser cet ordre, d'une manière générale, comme l'existence d'une certaine disposition plus ou moins régulière des unités du texte. Les relations logiques ou temporelles passent au deuxième plan ou disparaissent, ce sont les relations spatiales des éléments qui constituent l'organisation. (Cet « espace » doit évidemment être pris dans un sens particulier, et désigner une notion immanente au texte.)

Le poème suivant illustre une première variété de la structure spatiale :

lyslyslyslyslyslys
lyslyslyslyslyslys
lyslyslyslyslys
lyslyslyslyslys
lyslyslyslyslys
lyslyslyslyslys [1]

1. I. et P. Garnier, « Poèmes architectures », *Approches*, 1, 1965; ceci n'est qu'un extrait.

Ce texte, dont la disposition est formée par l'ordre des lettres, n'est évidemment qu'une illustration quelque peu naïve d'un principe fondamental de la poésie. On peut rappeler ici tous les dessins tracés avec des lettres; qu'on pense à *Un coup de dés* ou encore aux *Calligrammes* d'Apollinaire. Plus importants sont les anagrammes, textes dont certaines lettres forment un mot non seulement telles qu'elles sont données côte à côte, mais aussi lorsqu'elles ont été extraites de leur place et remises dans un ordre différent. Ces lettres renvoyant à des lettres, ou ces sons renvoyant à des sons, dessinent un espace au niveau du signifiant.

L'étude la plus systématique de l'ordre spatial en littérature a été menée par Roman Jakobson. Dans ses analyses de la poésie, il a montré que toutes les strates de l'énoncé, depuis le phonème et ses traits distinctifs, jusqu'aux catégories grammaticales et aux tropes, peuvent entrer dans une organisation complexe, en symétries, gradations, antithèses, parallélismes, etc., formant ensemble une véritable structure spatiale. Ce n'est d'ailleurs pas un hasard si la discussion que Jakobson consacre au parallélisme est suivie d'une référence à la géométrie; ni si la formulation la plus abstraite de la « fonction poétique » prend chez lui cette forme : « A tous les niveaux de la langue, l'essence, en poésie, de la technique artistique réside en des retours réitérés [1]. » « Tous les niveaux » indique bien l'omniprésence des relations spatiales : un récit entier peut également obéir à cet ordre, se fondant sur la symétrie, la gradation, la répétition, l'antithèse, etc. C'est aussi une comparaison spatiale que revendiquait Proust pour décrire son œuvre : la cathédrale.

---

1. R. Jakobson, *Questions de poétique*, Paris, Seuil, 1973, p. 234. On trouvera d'autres analyses inspirées des mêmes principes chez N. Ruwet, *Langage, musique, poésie*, Paris, Seuil, 1972.

Aujourd'hui, la littérature s'oriente vers des récits de type spatial et temporel, au détriment de la causalité. Un livre comme *Drame* de Philippe Sollers met en jeu, dans une interrelation complexe, ces deux ordres, en accentuant le temps de l'écriture et en faisant alterner deux types de discours, menés par un « je » et par un « il ». D'autres œuvres s'organisent autour d'une alternance de registres verbaux, ou de catégories grammaticales, de réseaux sémantiques, etc.

Seul le mélange de ces ordres se rencontre en fait en littérature. La pure causalité nous renvoie au discours utilitaire, la pure temporalité, aux formes élémentaires de l'histoire (science), la pure spatialité, au logatome lettriste. Ne serait-ce pas là une des raisons des difficultés que l'on rencontre quand on tente de parler de la structure du texte?

6. L'aspect syntaxique : Syntaxe narrative

Dans les deux chapitres qui suivent, on se limitera à une seule espèce d'organisation syntaxique : celle qui caractérise le récit « mythologique ».

Nous avons posé depuis le début que notre objet, ici, était constitué par les relations des unités narratives entre elles. Il faut maintenant voir de plus près quelle est la nature de ces unités. On établira, dans ce but, trois types d'unités, dont les deux premiers sont des constructions analytiques, tandis que le troisième est donné empiriquement : ce sont la *proposition*, la *séquence* et le *texte* précisément. On prendra comme exemple, pour illustrer ces notions, quelques nouvelles du *Décaméron*.

1. L'établissement de la plus petite unité narrative est
un problème qui s'était déjà posé à l'un des précurseurs des
Formalistes, l'historien de la littérature Alexandre Vesselovski. Il emploie pour le désigner le terme de *motif*, emprunté
à la poétique du folklore, et lui donne la définition intuitive
suivante : « Par motif, j'entends l'unité narrative la plus
simple qui répond, d'une manière imagée, aux diverses
interrogations de la mentalité primitive ou de l'observation
des mœurs. » Un exemple de motif serait : le dragon enlève
la fille du roi. Mais Propp, tout en s'inspirant du travail de
Vesselovski, critique déjà cette manière de voir : une telle
phrase n'est pas encore une entité indécomposable; elle ne
contient pas moins de quatre éléments : le dragon, l'enlèvement, la fille, le roi! Pour pallier à cet inconvénient, Propp
introduit un critère sélectif supplémentaire, qui est la
constance et la variabilité; il s'aperçoit, par exemple, que
dans le conte de fées russe l'élément stable est l'enlèvement,
alors que les trois autres varient d'un conte à l'autre; et
il déclare que seul le premier mérite le nom de *fonction*, qui
devient son unité fondamentale.

Mais en introduisant le critère de constance et de variabilité, Propp se trouve obligé de sortir de la poétique générale et d'entrer dans celle d'un genre particulier (le conte
de fées, en Russie de surcroît); on peut parfaitement concevoir un autre genre où la constante serait le roi, les autres
« motifs » étant des variables. Pour éviter le reproche que
Propp adresse à Vesselovski sans pour autant s'engager
dans une poétique « générique », la meilleure solution serait
de réduire le « motif » initial à une série de propositions
élémentaires, au sens logique du terme; par exemple :

X est une jeune fille.

Y est roi.

Y est le père de X.

Z est un dragon.

Z enlève X.

Nous appellerons cette unité minimale la *proposition narrative*. La proposition comporte, de toute évidence, deux espèces de constituants, que l'on a convenu d'appeler respectivement *actants* (X, Y, Z) et *prédicats* (enlever, être une jeune fille, un dragon, etc.).

Les actants sont des unités à deux faces. D'une part, ils permettent d'identifier des éléments discontinus, situés avec précision dans l'espace et le temps; c'est une fonction *référentielle*, qui est assumée, dans la langue naturelle, par les noms propres (ainsi que par les expressions accompagnées d'un démonstratif) : nous pourrions mettre, sans rien changer à la présentation précédente, « Marie » à la place de X, « Jean » à celle d'Y, etc.; c'est bien ce qui se produit dans les récits réels, où les actants correspondent habituellement (bien que pas toujours) à des êtres individuels et, qui plus est, humains. — D'autre part, ils occupent une certaine position par rapport au verbe : par exemple, dans la dernière proposition ci-dessus, Z est un sujet, X, un objet. C'est la fonction *syntaxique* des actants, lesquels ne sont pas différents, de ce point de vue, des fonctions syntaxiques propres à la langue, et qui s'expriment en nombreuses langues sous la forme de cas (de là d'ailleurs l'origine du terme « actant »). D'après les recherches de Claude Bremond, les principaux actants-rôles seraient l'agent et le patient, chacun d'eux se spécifiant selon plusieurs paramètres : le premier en influenceur et améliorateur (dégradateur), le second en bénéficiaire et victime.

Les prédicats peuvent être de toutes sortes, car ils correspondent à toute la variété du lexique ; mais on s'est accordé depuis longtemps pour identifier deux grandes classes de prédicats, en choisissant comme critère discriminatoire la relation d'un prédicat avec le prédicat précédent. Tomachevski a formulé ainsi cette distinction qui s'applique, dans son vocabulaire, aux motifs : « La fable [c'est-à-dire le récit] représente le passage d'une situation à une autre. (...) Les motifs qui changent la situation s'appellent des motifs dynamiques, ceux qui ne la changent pas, des motifs statiques. » Cette dichotomie explicite la distinction grammaticale entre adjectif et verbe (le substantif étant ici assimilé à l'adjectif). Ajoutons que le prédicat adjectival est donné comme antérieur au procès de dénomination, alors que le prédicat verbal est contemporain de ce même procès ; comme dira Sapir, le premier est un « existant », le second un « occurrent ».

Prenons un exemple qui nous permettra d'illustrer ces « parties du discours » narratif. Peronnelle reçoit son amant en l'absence du mari, pauvre maçon. Mais un jour celui-ci rentre de bonne heure. Peronnelle cache l'amant dans un tonneau ; le mari une fois entré, elle lui dit que quelqu'un voulait acheter le tonneau et que ce quelqu'un est maintenant en train de l'examiner. Le mari la croit et se réjouit de la vente. Il va racler le tonneau pour le nettoyer ; pendant ce temps, l'amant fait l'amour à Peronnelle qui a passé sa tête et ses bras dans l'ouverture du tonneau et l'a ainsi bouchée (VII, 2).

Peronnelle, l'amant et le mari sont les agents de cette histoire ; nous pouvons les désigner par X, Y et Z. Les mots d'amant et de mari nous indiquent de plus un certain état (c'est la légalité de la relation avec Peronnelle qui est ici en cause) ; ils fonctionnent donc comme des adjectifs. Ces adjectifs décrivent l'état initial : Peronnelle est l'épouse du maçon, elle n'a pas le droit de faire l'amour avec d'autres hommes.

Ensuite vient la transgression de cette loi : Peronnelle reçoit son amant. Il s'agit là évidemment d'un « verbe » qu'on pourrait désigner comme : violer, transgresser (une loi). Il amène un état de déséquilibre car la loi familiale n'est plus respectée.

A partir de ce moment, deux possibilités existent pour rétablir l'équilibre. La première serait de punir l'épouse infidèle; mais cette action aurait servi à rétablir l'équilibre initial. Or, la nouvelle (ou tout au moins les nouvelles de Boccace) ne décrit jamais une telle répétition de l'ordre initial. Le verbe « punir » est donc présent à l'intérieur de la nouvelle (c'est le danger qui guette Peronnelle) mais il ne se réalise pas, il reste à l'état virtuel. La seconde possibilité consiste à trouver un moyen pour éviter la punition; c'est ce que fera Peronnelle; elle y parvient en travestissant la situation de déséquilibre (la transgression de la loi) en situation d'équilibre (l'achat d'un tonneau ne viole pas la loi familiale). Il y a donc ici un nouveau verbe, « travestir ». Le résultat final est à nouveau un état, donc un adjectif : une nouvelle loi est instaurée, bien qu'elle ne soit pas explicite, selon laquelle la femme peut suivre ses penchants naturels.

2. Ayant ainsi donné une description de l'unité minimale qui est la proposition, nous pouvons revenir à notre question initiale, portant sur les *relations* entre unités minimales. On peut dire tout de suite que, du point de vue de leur contenu, ces relations se répartissent entre les différents « ordres » que nous avons passés en revue au chapitre précédent : ce sont des rapports logiques, de causalité ou d'inclusion, etc.; des rapports temporels, de succession ou de simultanéité; des rapports « spatiaux », de répétition,

d'opposition et ainsi de suite. Mais la combinaison des propositions présente d'autres particularités.

D'abord, l'établissement d'une unité supérieure s'impose. Les propositions ne forment pas des chaînes infinies; elles s'organisent en cycles que tout lecteur reconnaît intuitivement (on a l'impression d'un tout achevé) et que l'analyse n'a pas trop de mal à identifier. Cette unité supérieure est appelée *séquence;* la limite de la séquence est marquée par une répétition incomplète (nous préférerions dire : une transformation) de la proposition initiale. Si, pour plus de commodité, on admet que cette proposition initiale décrit un état stable, il s'ensuit que la séquence complète est composée — toujours et seulement — de cinq propositions. Un récit idéal commence par une situation stable qu'une force quelconque vient perturber. Il en résulte un état de déséquilibre; par l'action d'une force dirigée en sens inverse, l'équilibre est rétabli; le second équilibre est bien semblable au premier, mais les deux ne sont jamais identiques. Il y a par conséquent deux types d'épisodes dans un récit : ceux qui décrivent un état (d'équilibre ou de déséquilibre) et ceux qui décrivent le passage d'un état à l'autre. On aura reconnu là les propositions attributives et verbales. Il est naturellement possible que la séquence soit coupée au milieu (passage de l'équilibre au déséquilibre seulement, ou inversement), ou même en plus petites parties encore [1].

La formule « passage d'un état à l'autre » (ou, comme dit Tomachevski, « d'une situation à une autre ») saisit les faits au niveau le plus abstrait. Mais ce « passage » peut se réaliser par des moyens différents. C'est à l'étude de la ramification du schème initial abstrait que s'est consacré

---

1. Dans son *A Grammar of Stories* (La Haye, Mouton, 1973), Gerald Prince identifie la séquence avec ce qui est pour nous une mi-séquence (trois propositions). Mais c'est là pure affaire de convention.

Claude Bremond dans sa *Logique du récit*, où il essaie de dresser un tableau systématique de tous les « possibles narratifs ».

La séquence telle que nous l'avons définie comporte un nombre minimal de propositions; mais elle peut en comporter davantage, sans qu'il soit pour autant possible d'identifier deux séquences autonomes : c'est que toutes les propositions n'entrent pas dans le schéma de base. Ici encore, Tomachevski a proposé une première distinction (en l'appliquant toujours aux « motifs », qui recouvraient donc chez lui *à la fois* les prédicats et les propositions) : « Les motifs d'une œuvre sont hétérogènes. Un simple exposé de la fable nous révèle que certains motifs peuvent être omis sans pour autant détruire la succession de la narration, alors que d'autres ne peuvent l'être sans que soit altéré le lien de causalité qui unit les événements. Les motifs que l'on ne peut exclure sont appelés motifs associés; ceux que l'on peut écarter sans déroger à la succession chronologique et causale des événements sont des motifs libres. » On aura reconnu là l'opposition que formule Barthes entre « fonctions » et « indices ». Il va de soi que ces propositions facultatives (« libres », « indices ») ne sont telles qu'au point de vue de la construction séquentielle; elles sont souvent ce qu'il y a de plus nécessaire dans le texte.

3. Ce que le lecteur rencontre empiriquement n'est ni la proposition ni même la séquence, mais un *texte* entier : roman, nouvelle ou drame. Or, un texte comporte presque toujours plus d'une séquence. Trois types de combinaison entre séquences sont possibles.

Le premier cas, fréquent dans *le Décaméron*, est l'*enchâssement*. Ici une séquence entière se substitue à une proposition de la première séquence. Par exemple :

Bergamin est arrivé dans une ville étrangère, invité à un repas par Messire Cane; au dernier moment, celui-ci annule l'invitation sans indemniser Bergamin. Ce dernier se voit obligé de dépenser beaucoup d'argent; mais rencontrant un jour Messire Cane, il lui raconte l'histoire de Primas et de l'abbé de Cluny. Primas était allé à un repas donné par l'abbé, sans y être invité, et l'abbé lui avait refusé la nourriture. Pris ensuite de remords, l'abbé couvrit Primas de grâces. Messire Cane comprend l'allusion et fait rembourser Bergamin (I, 7).

La séquence principale comporte tous ses éléments obligatoires : l'état initial de Bergamin, sa dégradation, l'état de détresse dans lequel il se trouve, le moyen qu'il découvre pour s'en sortir, son état final semblable au premier. Mais la quatrième proposition est un récit, qui forme à son tour une séquence : telle est la technique de l'enchâssement.

Il existe plusieurs variétés d'enchâssement, selon le niveau narratif des deux séquences (même niveau ou niveau différent, comme dans le cas cité) et selon le type de rapport thématique qui s'établit entre elles : rapport d'explication causale; rapport de juxtaposition thématique, ainsi les contes-arguments ou exemples, ou les histoires qui forment contraste avec la précédente; on peut enfin, comme le remarquait Chklovski, « raconter des nouvelles ou des contes pour retarder l'accomplissement d'une action quelconque » : c'est l'exemple de Schéhérazade qui vient aussitôt à l'esprit.

L'*enchaînement* présente une autre possibilité de combinaison. Dans ce cas, les séquences sont mises à la suite l'une de l'autre au lieu d'être imbriquées. Ainsi dans la septième nouvelle de la huitième journée : Hélène laisse le clerc amoureux d'elle dans le jardin pendant une nuit d'hiver (première séquence), ensuite le clerc l'enferme toute nue dans une tour pendant une chaude journée d'été (deuxième séquence).

Les deux séquences ont des structures identiques; l'identité est accusée par l'opposition des circonstances spatio-temporelles. L'enchaînement connaît également plusieurs sous-espèces sémantiques et syntaxiques; Chklovski distinguait par exemple l'« enfilage », où un même protagoniste traverse des aventures diverses (type *Gil Blas*), la « construction en paliers » ou parallélisme des séquences, etc.

La troisième forme de combinaison est l'*alternance* (ou *entrelacement*), qui met à la suite l'une de l'autre tantôt une proposition de la première séquence, tantôt une de la seconde. *Le Décaméron* présente peu d'exemples de ce type (cf. toutefois V, 1); mais le roman se sert fréquemment de cette construction. Ainsi alternent dans *les Liaisons dangereuses* les histoires de Mme de Tourvel et de Cécile; l'alternance est motivée par la forme épistolaire du livre. — Ces trois formes élémentaires peuvent se combiner encore entre elles, cela va de soi.

7. L'aspect syntaxique : Spécifications et réactions

Après cette vue d'ensemble, nous devons revenir à quelques aspects des prédicats narratifs que nous avons passés jusqu'ici sous silence.

1. Notre description précédente pouvait laisser croire que chaque prédicat est absolument différent de tous les autres. Or, une vue même superficielle permet de remarquer la parenté de certaines actions, et donc la possibilité de les présenter comme *une* action possédant plusieurs formes.

Propp avait fait une première tentative dans ce sens, en réduisant tous les contes de fées à trente et une « fonctions » seulement. Cependant, le choix apparemment arbitraire de ce chiffre n'a pas convaincu ses lecteurs : il est à la fois trop élevé et trop petit. Trop petit, si l'on pense que toutes les actions possibles doivent aboutir, par des regroupements empiriques, à trente et une seulement; trop élevé, si l'on part non de la variété des actions mais d'un modèle axiomatique. C'est donc devenu un lieu commun de la critique de Propp, que d'indiquer la possibilité de réunir plusieurs fonctions en une seule, tout en préservant leur différence; Lévi-Strauss écrit par exemple : « On pourrait traiter la " violation " comme l'inverse de la " prohibition ", et celle-ci, comme une transformation négative de l'" injonction " [1]. »

Dans la langue, ces catégories qui permettent à la fois de spécifier une action et d'indiquer les traits qu'elle possède en commun avec d'autres, sont exprimées par les terminaisons verbales, par des adverbes ou des particules. L'exemple le plus simple, et le plus répandu, serait la *négation* (avec sa variante l'*opposition*). Bergamin est riche, puis pauvre, puis riche de nouveau : il importe de voir qu'il n'y a pas ici deux prédicats autonomes mais deux formes, positive et négative, du même prédicat.

La négation relève de ce qu'on appelle le « statut » du verbe. Une autre catégorie verbale est l'*aspect* : ainsi une action peut nous être présentée dans son commencement, dans le procès de son déroulement, et en tant qu'achèvement (on appelle en grammaire ces aspects : inchoatif, progressif, terminatif). Plus importante encore pour la narration est la catégorie de *modalité* : nous en avons déjà observé un exemple dans l'histoire de Peronnelle, où l'in-

---

1. « La structure et la forme », *Anthropologie structurale deux*, Paris, Plon, 1973, p. 164.

terdiction de l'adultère jouait un rôle essentiel; or, qu'est-ce que l'interdiction sinon une proposition de statut négatif, énoncée sur le mode de l'obligation (« Tu ne dois pas... »)?

Ce type de *spécification* nous paraît aller de soi lorsqu'il est inscrit dans la grammaire de la langue; mais il faut être conscient de ce qu'un quelconque adverbe de manière remplit un rôle analogue. Nous pouvons caractériser toutes sortes d'actions comme étant « bien » ou « mal » accomplies, en établissant ainsi leurs traits communs; et inversement, nous pouvons spécifier une même action selon qu'elle est faite de telle ou telle manière.

Une telle analyse logique (plutôt que grammaticale, malgré ce qu'il peut sembler à première vue) n'est pas un simple artifice de notation; elle nous permet de pousser l'analyse jusqu'à ses unités indécomposables, ce qui est une condition nécessaire de toute description exigeante.

2. Il apparaît à l'évidence qu'on doit procéder pour les prédicats à ce regroupement et à cette classification, qui aboutissent à l'établissement de catégories servant à modifier (ou à spécifier) le prédicat initial. Il existe une autre manière de regrouper les prédicats, non plus selon leurs modalités mais selon leur nature primaire ou secondaire.

Il existe, en effet, des actions primaires qui ne présupposent l'accomplissement d'aucune autre action. Par exemple, pour revenir à un cas déjà évoqué, nous pouvons apprendre que le dragon enlève Marie sans savoir que cette dernière est fille de roi : de telles propositions se suivent, parfois s'enchaînent causalement, mais rien ne les empêche d'exister aussi isolément. Il en va tout autrement d'une action telle que, précisément, apprendre. Imaginons qu'Ivan apprend l'enlèvement de Marie. Une telle action sera dite secondaire, car elle présuppose l'existence d'une proposition antérieure qui est : quelqu'un enlève Marie. On pourrait, en forçant un peu le sens des mots, parler dans le premier cas d'*actions*, dans le second, de *réactions* : celles-ci apparaissent toujours et nécessairement à la suite d'une autre action.

Peut-on donner une énumération raisonnée de toutes les réactions? Au vrai, nous l'avons déjà fait une fois, et ce n'est pas un hasard si au paragraphe précédent le mot « apprendre » est apparu deux fois, une fois avec le sujet « nous » (le lecteur) et une autre « Ivan » (le personnage). Tout comme nous nous livrons à un travail de construction de la fiction à partir d'un discours, de la même manière exactement les personnages, éléments de la fiction, doivent reconstituer, à partir des discours et des signes qui les entourent, leur univers de perception. Toute fiction contient donc en son intérieur une représentation de ce même processus de lecture auquel nous la soumettons. Les personnages construisent leur réel à partir des signes qu'ils reçoivent tout comme nous construisons la fiction à partir du texte lu; leur apprentissage du monde figure celui que nous devons faire du livre.

On retrouvera donc ici toutes les catégories que nous établissions dans notre description de l'« aspect verbal » de l'œuvre littéraire; et nous pourrons nous en servir pour affiner la typologie des prédicats narratifs. Prenons l'exemple du *temps*. Tout comme nous, lecteurs, pouvons apprendre une action avant ou après le moment où elle s'est, fictivement, produite (prospections et rétrospections), de même les personnages ne se contentent pas de vivre une action mais peuvent aussi s'en *souvenir* ou la *projeter* : autant de « réactions » qui ne peuvent exister que, si l'on ose dire, sur le dos d'une autre action. Il existe d'ailleurs de nombreux prédicats liés à ce jeu avec le temps, selon leur rapport avec le sujet énonçant, le degré d'approbation portée à l'action envisagée, etc. Par exemple, *projeter* ou *décider* sont des actions assumées par ce sujet et ne se référant qu'à lui; *promettre* ou *menacer*, en revanche, concernent également celui à qui l'on parle; et dans des actions comme *espérer* ou *craindre*, l'issue des événements ne dépend pas du sujet.

Nous retrouverons les catégories du *mode* si nous nous tournons vers le problème de la transmission de l'information à l'intérieur de la fiction : ici, les choses peuvent être *racontées* ou *dites* ou *représentées* avec plus ou moins de fidélité, plus ou moins de distance (et, dans l'univers fictif, l'acte de raconter une chose, qui est une « réaction », peut avoir plus d'importance narrative que celui de la vivre).

Mais les réactions les plus variées et les plus nombreuses se rattachent aux différentes catégories que nous avons identifiées au sein de la *vision*.

Le cas le plus simple est celui de l'*illusion*, ou information fausse, et de son élimination. On se souvient de l'action habile de Peronnelle qui *travestissait* la situation d'adultère en situation d'achat du tonneau. La poétique classique a répertorié l'action complémentaire de réinterprétation, de découverte de la vérité (une de ses versions tout au moins), sous le nom de *reconnaissance*. Voici la formule aristotélicienne : « La reconnaissance, comme d'ailleurs le nom l'indique, est un passage de l'ignorance à la connaissance... » *(Poétique, 1452 a)*. Il en ressort que la reconnaissance correspond à deux parties de l'intrigue : d'abord, un moment d' « ignorance », ensuite, celui de la « connaissance ». Dans ces deux moments — pour nous, ces deux propositions — c'est le même fait qui est évoqué; mais la première fois quelqu'un s'est trompé d'interprétation, ce qui en fait une action secondaire, ou réaction. Les exemples les plus fréquents concernent l'identité d'un personnage : la première fois, Iphigénie prend Oreste pour quelqu'un d'autre, la seconde fois, elle l'identifie. Mais on voit qu'il n'est pas nécessaire de réduire la reconnaissance à la découverte d'une véritable identité : toute révélation sur une action, dont on a d'abord donné une fausse interprétation, égale une « reconnaissance ». Le cas n'est pas très différent avec l'*ignorance* qui implique une « réaction » d'*apprentissage*.

En disant que le personnage pouvait « craindre » ou « espérer » l'arrivée de tel événement, nous ne retenions que la valeur temporelle de ces réactions; or, elles impliquent évidemment, en même temps, un jugement de valeur, une *appréciation* — qui peut naturellement prendre d'autres formes que la répartition en « bien » et « mal ». Enfin, le simple fait de transposer une action de son état objectif dans la subjectivité d'un personnage équivaut à l'existence d'une vision : « Peronnelle trompe son mari » est une action, « Le mari pense que Peronnelle le trompe », une réaction (mais qui n'a pas lieu dans la nouvelle de Boccace).

Ainsi, tout ce qui pouvait paraître comme un simple procédé de présentation au niveau du discours, se transforme en élément thématique à celui de la fiction.

Il est important de voir la différence entre spécifications et réactions : il s'agissait dans le premier cas des diverses formes d'un même prédicat; dans le second, de deux types de prédicats différents, primaires et secondaires, ou actions et réactions. La présence et la position de tel ou tel type de prédicats influence fortement notre perception d'un texte. Quoi de plus frappant, dans un récit comme *la Quête du Graal*, que ces deux « réactions » : d'une part, tous les événements qui arrivent sont annoncés d'avance; de l'autre, une fois arrivés, ils reçoivent une interprétation nouvelle dans un code symbolique particulier. La littérature de la fin du XIXᵉ siècle a particulièrement chéri la représentation du processus de connaissance; le procédé est à son sommet chez un Henry James ou un Barbey d'Aurevilly, où l'on ne nous raconte souvent *que* le processus d'apprentissage sans que nous apprenions jamais quoi que ce soit : parce qu'il n'y a rien à apprendre ou parce que la vérité est inconnaissable. De tels textes réalisent à un degré particulièrement fort cette « mise en abyme » qui est le lot de toute littérature : le livre comme le monde doivent être *interprétés*.

3

Perspectives

1. Poétique et histoire littéraire

Nous avons désigné dès le début le rapport de complémentarité poétique-critique; maintenant, une fois terminée la description du texte littéraire, nous pouvons tenter de comparer la poétique aux autres disciplines qui se partagent traditionnellement le champ de la littérature.

Et d'abord, à l'*histoire littéraire*. Mais pour pouvoir procéder à cette comparaison, nous devons regarder de plus près ce qu'on désigne par ces deux mots. Dénonçant l'ambiguïté du terme, Tynianov écrivait en 1927 : « Le point de vue adopté détermine le type de l'étude. On en distingue deux principaux : l'étude de la *genèse* des phénomènes littéraires et l'étude de la *variabilité* littéraire, c'est-à-dire de l'évolution de la série. » Nous partirons de cette opposition, quitte à y mettre un sens différent de celui de Tynianov.

La *genèse* de l'œuvre était considérée par les Formalistes comme extérieure à la littérature, comme jouant d'un rapport entre la « série » littéraire et une autre « série ». Mais une telle affirmation se heurte à deux objections qui, curieusement, furent également formulées en premier par le même Tynianov. Dans une étude sur la « Théorie de la parodie », il avait montré l'impossibilité de comprendre intégralement un texte de Dostoïevski sans se référer à tel texte antérieur de Gogol. C'est à la suite de ce travail que commencèrent les recherches sur ce qu'on a appelé ici le registre polyvalent (ou dialogique). Il en découle que la genèse est inséparable de la structure, l'histoire de la création du livre, de son sens : si on ignorait la fonction parodique du texte dostoïevskien (à première vue, simple élément de genèse), sa compréhension en souffrirait gravement.

Dans une autre étude, de quelques années postérieure et portant sur « le fait littéraire », Tynianov montrait l'impossibilité de donner à cette dernière notion une définition atemporelle, an-historique : telle espèce d'écrits (p. ex., le journal intime) sera considérée comme faisant partie de la littérature à une époque, comme lui étant extérieure à une autre. Derrière ce constat d'impuissance s'affirmait une autre thèse (mais que Tynianov ne formulait pas), selon laquelle des textes non littéraires pouvaient jouer un rôle décisif dans la formation d'une œuvre littéraire.

Si l'on met ensemble ces deux conclusions séparées, on doit de toute évidence réviser le premier jugement qui considérait la genèse comme un fait extérieur, digne de l'intérêt des psychologues et des sociologues, mais non du littéraire. Aussi loin qu'on remonte dans la genèse, on ne trouve que d'autres textes, d'autres produits de langage; et on peut difficilement concevoir un partage parmi ceux-ci. Faut-il exclure des facteurs linguistiques qui président à la genèse d'un roman de Balzac, les écrits de ceux qui ne furent pas écrivains mais philosophes, moralistes, mémorialistes, chroniqueurs de la vie sociale? Ou même ce texte anonyme mais combien présent qui remplit les journaux, les livres de lois, la conversation quotidienne? De même pour le rapport entre les œuvres d'un auteur. Nous sommes d'accord aujourd'hui pour considérer comme « pertinent » le rapport entre deux poèmes du même écrivain; mais peut-on en exclure le rapport entre ce même poème et l'évocation, supposons contradictoire, de son thème, de son lexique, dans une lettre amicale (simplement parce qu'elle n'est pas de la « littérature »)?

On ne peut penser le « dehors », l'« extérieur » du langage et du symbolique. La vie est une bio-graphie, le monde, une socio-graphie, et nous n'atteignons jamais un état « extra-symbolique » ou « pré-linguistique ». La genèse n'est pas non plus « extra-littéraire » mais il faut avouer que, à ce moment, le terme même n'est plus approprié : il n'y a pas de genèse des textes à partir de ce qui n'est pas eux, mais toujours et seulement un travail de *transformation*, d'un discours en un autre, du texte au texte.

La différence entre genèse et variabilité n'est donc pas dans le degré de leur « intériorité » à la littérature. Elle est, en revanche, parallèle à une autre distinction déjà établie, qui est celle entre critique (ou interprétation) et poétique. Car ce ne sont pas les œuvres qui varient, de toute évidence, mais la littérature; inversement, c'est des œuvres exclusivement qu'il s'agit lorsqu'on parle, comme précédemment, de genèse [1].

---

1. On peut penser aussi la genèse de la littérature, ou des formes littéraires : c'est la thèse du livre d'André Jolles, *Formes simples* (1930; trad. franç. 1972). Pour cet auteur qui se définit lui-même comme un représentant de la tendance « morphologique », les formes littéraires qu'on trouve dans les œuvres contemporaines sont dérivées des formes linguistiques; cette dérivation se produit non pas directement mais par l'intermédiaire d'une série de « formes simples » qu'on trouve, pour la plupart, dans le folklore. Donc, ces formes simples sont des extensions et des applications des formes linguistiques; et elles-mêmes seront par la suite prises comme éléments de base dans les œuvres de la « grande » littérature. Mais le mot genèse prend évidemment ici un sens différent.

L'étude de la variabilité, donc, est une partie intégrante de la poétique, puisqu'elle concerne, comme cette dernière, les catégories abstraites du discours littéraire, et non les œuvres individuelles. Dans cette perspective, on peut envisager des études portant sur chacun des concepts de la poétique. On décrira l'évolution de l'intrigue à causalité psychologique, ou l'évolution des visions, ou l'évolution des registres de la parole et de leur utilisation en littérature. Ces études, on le voit, ne seront pas qualitativement différentes de celles qu'on a vu s'inscrire dans le champ de la poétique. En même temps, disparaît l'opposition factice de la « structure » et de l'« histoire » : ce n'est qu'au niveau des structures qu'on peut décrire l'évolution littéraire ; non seulement la connaissance des structures n'empêche pas celle de la variabilité, mais encore est-ce l'unique voie dont on dispose pour aborder celle-ci.

Ici réapparaît la notion de *genre*. Tout comme le concept d'histoire littéraire, celui de genre demande à être soumis d'abord à un examen critique. En effet, le mot recouvre deux réalités distinctes, pour lesquelles Lämmert, dans le livre déjà cité, réserve les termes de *type*, d'une part, de *genre* (au sens étroit) de l'autre.

Le type se définit comme la conjonction de plusieurs propriétés du discours littéraire, jugées importantes pour les œuvres où on les rencontre. Le type n'offre pas de réalité en dehors de la réflexion théorique ; il suppose toujours qu'on fasse abstraction de plusieurs traits divergents, jugés peu importants, en faveur d'autres traits, eux identiques, et qui sont dominants dans la structure de l'œuvre. Si cette abstraction est égale à zéro, chaque œuvre représente un type particulier (et cette phrase n'est pas dénuée de sens) ; au degré maximum d'abstraction, on considère toutes les

œuvres comme appartenant au même type (qui est la littérature). Entre ces deux pôles, se situent les types auxquels nous
ont habitués les poétiques classiques, ainsi poésie et prose,
tragédie et comédie, etc.

Le type appartient à l'objet de la poétique générale, non
de la poétique historique.

Il n'en va pas de même du genre, au sens restreint. A toute
époque, un certain nombre de types littéraires deviennent si
connus du public que celui-ci s'en sert comme de clés
(au sens musical) pour l'interprétation des œuvres; le
genre devient ici, selon une expression de H.R. Jauss, un
« horizon d'attente [1] ». L'écrivain à son tour intériorise
cette attente; le genre devient pour lui un « modèle d'écriture ». En d'autres termes, le genre est un type qui a eu une
existence historique concrète, qui a participé au système
littéraire d'une époque.

Un exemple nous permettra d'illustrer ces notions. On
le puisera chez Mikhaïl Bakhtine, dans son livre sur la
poétique de Dostoïevski. Bakhtine isole un type dont on
s'est rarement préoccupé; il lui donne le nom de récit
polyphonique ou dialogique (on reviendra sur sa définition).
Ce type abstrait s'est réalisé à plusieurs reprises, au cours
de l'histoire, en genres concrets. Ainsi dans les dialogues
socratiques, dans la ménippée latine, dans la littérature
carnavalesque du Moyen Age et de la Renaissance.

Si donc une première tâche de l'histoire littéraire est
d'étudier la variabilité de chaque catégorie littéraire, le
pas suivant sera de prendre en considération les genres, à
la fois diachroniquement, comme le fait Bakhtine (autre-

1. Cf. H.R. Jauss, « Littérature médiévale et théorie des genres »,
Poétique, 1, 1970. Quelques autres discussions récentes : K. Stierle,
« L'Histoire comme Exemple, l'Exemple comme Histoire », *Poétique*,
10, 1972; Ph. Lejeune, « Le pacte autobiographique », *Poétique*, 14,
1973.

ment dit, en étudiant les variantes génériques d'un même type) et synchroniquement, dans les rapports des genres entre eux. Il ne faut pas oublier en même temps qu'à chaque époque, le noyau de traits identiques est accompagné par un nombre élevé d'autres traits, qu'on considère toutefois comme moins importants et partant non décisifs pour attribuer telle œuvre à un autre genre. En conséquence, une œuvre est susceptible d'appartenir à des genres différents, suivant qu'on juge important tel ou tel trait de sa structure. Ainsi pour les Anciens, l'*Odyssée* appartenait indiscutablement au genre « épopée »; mais pour nous, cette notion a perdu son actualité, et nous serions plutôt enclins à rattacher l'*Odyssée* au genre « récit » ou même au « récit mythologique ».

Une troisième tâche de l'histoire littéraire serait l'identification des *lois* de la variabilité, qui concernent le passage d'une « époque » littéraire à une autre (à supposer que ces lois existent). Plusieurs modèles ont été proposés qui permettraient de rendre intelligibles les détours de l'histoire; un passage semble s'être opéré, dans l'histoire de la poétique, d'un modèle « organique » (une forme littéraire naît, s'épanouit, mûrit et meurt) à un modèle « dialectique » (thèse-antithèse-synthèse). Nous nous garderons ici de les reprendre à notre compte, mais il ne faut pas en conclure à l'inexistence du problème. Disons qu'il est difficile de le traiter pour l'instant, en l'absence de travaux ponctuels qui prépareraient le terrain : pour avoir voulu pendant longtemps absorber le domaine des disciplines voisines, l'histoire littéraire fait aujourd'hui figure de parent pauvre : la poétique historique est le secteur le moins élaboré de la poétique.

2. Poétique et esthétique

On formule très souvent cette exigence face à toute analyse littéraire, qu'elle soit structurale ou non : pour être jugée satisfaisante, elle doit pouvoir expliquer la valeur esthétique d'une œuvre, dire, en d'autres mots, pourquoi on juge telle œuvre belle et non telle autre. Et on croit avoir démontré l'échec de l'analyse si celle-ci ne parvient pas à donner une réponse satisfaisante à cette question. « Votre théorie est bien jolie, dit-on, mais à quoi me sert-elle, si elle ne peut pas expliquer les raisons pour lesquelles l'humanité a conservé et apprécié précisément les œuvres qui constituent l'objet de vos études ? »

Les critiques ne sont pas restés insensibles à ce reproche et on a régulièrement essayé d'y répondre, de fournir une recette qui, appliquée automatiquement, produirait la beauté. Il est à peine besoin de rappeler que ces recettes ont toujours été violemment attaquées par les critiques de la génération suivante, et qu'aujourd'hui on ne se souvient même plus de toutes les tentatives faites pour saisir la beauté dans un impératif universel. Rappelons-en, sans épiloguer, une seule, qui mérite au moins attention du fait de son auteur : Hegel qui écrit dans *l'Idée du beau* : « De même que l'état le plus idéal du monde est compatible avec des époques déterminées, de préférence à d'autres, l'art choisit, pour les figures qu'il situe, un milieu déterminé, de préférence à d'autres : celui des *princes*. Et cela non par sentiment aristocratique ou par amour de la distinction ; mais il manifeste, ce faisant, la liberté du vouloir et de la création, qui ne trouve à se réaliser que dans la représentation des milieux princiers... »

L'avènement de la poétique a relancé la question fatidique de la valeur de l'œuvre. Dès qu'on essaye, en s'inspirant de ses catégories, de décrire avec précision la structure d'une œuvre, on rencontre la même méfiance quant aux possibilités d'expliquer la beauté. On décrit, par exemple, les structures grammaticales, ou l'organisation phonique d'un poème : mais à quoi bon? Cette description nous permet-elle de comprendre pourquoi ce poème est jugé beau? Et toute l'entreprise d'une poétique rigoureuse se trouve ainsi mise en doute.

Ce n'est pas que ceux qui ont relevé et décrit certains aspects importants de l'œuvre n'aient pas voulu traiter des lois de la beauté. Il existe même une telle loi, formulée il y a quelque cinquante ans à propos du roman, et que l'on continue, aujourd'hui, même dans des ouvrages des plus sérieux, à nous présenter comme une recette de beauté et de qualité. Elle mérite qu'on s'y arrête un peu plus longuement.

Elle concerne ce qui était désigné, dans les pages précédentes, comme les visions dans le récit. Lorsque Henry James en fit la base de son programme littéraire et esthétique, on eut l'impression de toucher, pour la première fois, un élément stable, saisissable, de l'œuvre, et qui permettrait peut-être d'ouvrir le sésame de l'esthétique littéraire. Dans son livre déjà cité, Percy Lubbock a essayé de juger les œuvres du passé à l'aide d'un critère tiré de la connaissance des visions : pour qu'une œuvre soit réussie, soit « belle », le narrateur ne doit pas changer de point de vue tout au long de l'histoire; s'il y a changement, il doit être justifié par l'intrigue et par toute la structure de l'œuvre. En se fondant sur ce critère, on met les œuvres de James lui-même au-dessus de celles de Tolstoï.

Cette conception, toujours vivante, a eu des prolongements curieux, sans qu'on puisse affirmer que ses différents partisans se soient influencés les uns les autres. Ainsi, dans la même perspective se placent de nombreuses affirmations de l'ouvrage déjà cité de Bakhtine. Dans ce livre, un des plus importants sans doute dans le domaine de la poétique, Bakhtine oppose le « genre » dialogique ou polyphonique au « genre » monologique dont relève le roman traditionnel (nous avons vu que c'étaient là plutôt des types). Le dialogique se caractérise, essentiellement, par l'absence d'une conscience narrative unifiante, qui engloberait la conscience de tous les personnages. Dans les romans de Dostoïevski, qui sont l'exemple le plus accompli du dialogique, il n'existe pas, selon Bakhtine, une conscience du narrateur, isolée des autres à un niveau supérieur, et qui assumerait le discours de l'ensemble. « La nouvelle position de l'auteur vis-à-vis du personnage dans le roman polyphonique de Dostoïevski consiste dans la position dialogique, respectée rigoureusement, et qui affirme l'indépendance, la liberté intérieure, l'infinitude et l'indécision du personnage. Pour l'auteur, le personnage n'est pas un " il ", ni un " je ", mais un " tu " accompli, c'est-à-dire un autre " je ", étranger mais égal. »

Mais Bakhtine ne se satisfait pas de cette description qui laisserait le droit à d'autres œuvres de ne pas obéir à ces lois, sans qu'elles soient pour autant condamnées : toute son analyse implique la supériorité de cette forme sur les autres. Il écrit par exemple : « La véritable vie de la personnalité n'est accessible qu'à une pénétration *dialogique*, à laquelle cette personnalité s'ouvre librement en réponse », etc.

Bakhtine nous présente donc une version différente de la loi esthétique établie par Lubbock d'après James. Il précise que la vision doit correspondre à ce que Pouillon appelle la vision « avec », et qu'il en faut plusieurs dans une même œuvre. Ce n'est qu'à ces conditions que le dialogue pourra s'instaurer.

On ne se sent pas en droit de contester ces conclusions tant que l'exemple choisi reste Dostoïevski. Cependant, quelques pages plus loin, Bakhtine lui-même rapporte un autre cas, celui d'une œuvre inachevée, où le même principe dialogique se trouve illustré. L'auteur de cette œuvre n'est plus Dostoïevski, mais Tchernychevski, auteur dont les œuvres ont, c'est le moins qu'on puisse dire, une valeur esthétique fort contestée. Une fois que le principe dialogique sort des œuvres de Dostoïevski, il perd ses qualités tant vantées.

Plus près de nous, Sartre a donné une nouvelle formulation de la loi de Lubbock, dans un article célèbre, consacré à Mauriac. L'œuvre de Mauriac y est contestée non pas au nom de l'esthétique du roman sartrien, mais du roman en général. A nouveau, l'exigence est celle d'une vision « avec » (d'une focalisation interne unique) tout au long du livre. « Dans un vrai roman, pas plus que dans le monde d'Einstein, il n'y a de place pour un observateur privilégié... Un roman est écrit par un homme pour des hommes. Au regard de Dieu qui perce les apparences sans s'y arrêter, il n'est point de roman. »

En quoi consiste l'exigence de cette esthétique bien particulière? Ce qu'elle proscrit avant tout, c'est l'inégalité des deux voix, celle du sujet de l'énonciation (le narrateur) et celle du sujet de l'énoncé (le personnage). Si le premier veut se faire entendre, il doit se travestir, revêtir le masque du second. Ainsi pour Sartre : « Les êtres romanesques ont leurs lois dont voici la plus rigoureuse : le romancier peut être leur témoin ou leur complice, mais jamais les deux à la fois. Dehors ou dedans. » On ne peut être à la fois le même et l'autre. Les voix de deux personnages donnent une polyphonie; mais il faut croire que de celles d'un personnage et d'un narrateur qui ne veut pas dissimuler sa qualité de sujet unique de l'énonciation, ne peut résulter qu'une cacophonie. Cacophonie dont l'*Odyssée* et *Don Quichotte* sont des exemples.

De même que Bakhtine était servi dans sa démonstration par l'exemple de Dostoïevski, Sartre l'est, dans sa contre-démonstration, par celui de Mauriac. Mais on n'énonce pas de vérités générales à partir d'un exemple. Prenons ces quelques phrases de Kafka :

« K. se sentit d'abord heureux d'être sorti de cette chambre surchauffée où se bousculaient bonnes et seconds. Il faisait un peu froid, la neige avait durci, on marchait plus facilement. Malheureusement le soir commençait à tomber et K. accéléra l'allure » *(le Château)*.

Il s'agit apparemment de la vision dite « avec ». Nous suivons K., nous voyons et entendons ce qu'il voit et entend, nous connaissons ses pensées mais pas celles des autres. Et pourtant... Prenons les deux mots, « heureux », « malheureusement ». La première fois, K. se sent peut-être heureux; mais il ne pense pas : « Je suis heureux. » Il s'agit d'une description, non d'une citation. C'est K. qui se sent heureux, mais c'est quelqu'un d'autre qui écrit : « K. se sentit heureux. » Ce n'est plus le cas de « malheureusement ». Ce mot reflète une constatation que K. articule lui-même; c'est devant cette constatation, et non parce que « le soir commençait à tomber », qu'il accélère son allure. Dans le premier cas, il y a le sentiment sans nom de K., et sa dénomination par le narrateur. Dans le deuxième cas, c'est K. qui verbalise son propre sentiment, et le narrateur *transcrit* les paroles de K. au lieu de *décrire* ses sentiments : il y a là une différence « modale » évidente.

En d'autres mots, la loi de Lubbock-Bakhtine-Sartre n'est

pas suivie. Il y a deux consciences à la fois, et elles ne sont pas à égalité; le narrateur reste narrateur, il ne peut se confondre avec l'un des personnages. Mais en quoi ce fait nuit-il à la valeur esthétique du passage cité? N'aurait-on pas tout autant raison d'affirmer, au contraire, que l'oscillation imperceptible entre les deux sujets de l'énonciation est un des traits obligatoires de cette perception ambiguë et incertaine que nous avons à la lecture d'un chef-d'œuvre?

Il ne s'agit pas, bien entendu, de substituer à la première loi son contraire. Ce à quoi visent les remarques précédentes, c'est à illustrer l'impossibilité dans laquelle nous nous trouvons de formuler des lois esthétiques universelles à partir de l'analyse, fût-elle brillante, d'une ou de plusieurs œuvres. Tout ce qu'on nous a proposé jusqu'à présent comme recettes pour atteindre la valeur, n'a été, dans le meilleur des cas, qu'une bonne description; et il ne faut pas présenter la description, même correcte, pour une explication de la beauté. Il n'existe pas de procédé littéraire dont l'utilisation produit obligatoirement une expérience esthétique.

Que faire? Faut-il abandonner tout espoir de parler un jour de la valeur? Faut-il tracer une limite infranchissable entre la poétique et l'esthétique, entre la structure et la valeur d'une œuvre? Faut-il laisser le jugement de valeur aux seuls membres des jurys littéraires?

L'échec des tentatives précédentes pourrait facilement nous pousser dans cette voie. Il n'a cependant qu'une importance relative. La poétique n'en est encore qu'à ses débuts. Il n'est pas surprenant que, dès les premiers travaux, on se soit posé des questions sur la valeur; mais il n'est pas étonnant non plus que les réponses données aient été insatisfaisantes. Car pour suggestives que soient les descriptions que ces travaux contiennent, elles ne sont qu'une première

approximation grossière, dont le mérite est plutôt d'indiquer
une voie. Le problème de la valeur, lui, semble plus complexe;
et pour répondre aux critiques qui reprochent aux analyses
inspirées des principes de la poétique leur non-pertinence
pour la compréhension de la beauté, on pourrait dire simplement que cette question ne devra se poser que beaucoup
plus tard, qu'il ne faut pas commencer par la fin, avant même
que les premiers pas soient faits. Mais on peut aussi se demander dans quelle direction doivent aller nos efforts.

C'est une vérité incontestable aujourd'hui que le jugement de valeur sur une œuvre dépend de la structure de
celle-ci. Mais il faut peut-être insister davantage sur un
autre fait : ce n'est pas là le facteur unique du jugement.
On peut supposer que pour comprendre mieux la valeur de
l'œuvre, il faut abandonner ce partage territorial premier,
nécessaire mais appauvrissant, qui coupe l'œuvre de son
lecteur. La valeur est interne à l'œuvre, mais elle n'apparaît
qu'au moment où celle-ci est interrogée par un lecteur.
La lecture est non seulement un acte de manifestation de
l'œuvre, mais aussi un processus de valorisation. Cette
hypothèse ne revient pas à affirmer que la beauté d'une œuvre
lui est apportée uniquement par le lecteur, et que ce processus
reste une expérience individuelle qu'il est impossible de
cerner rigoureusement; le jugement de valeur n'est pas un
simple jugement subjectif; mais on veut passer outre à
cette limite même entre œuvre et lecteur, et les considérer
comme formant une unité dynamique.

Les jugements esthétiques sont des propositions qui
impliquent fortement leur propre procès d'énonciation. On
ne peut pas concevoir un tel jugement en dehors de l'instance du discours où il est proféré, ni isolément du sujet qui
l'articule. Je peux parler de la beauté qu'ont pour moi les
œuvres de Goethe; je peux à la rigueur parler de celle qu'elles

ont aux yeux de Schiller ou de Thomas Mann. Mais une question, portant sur leur beauté en soi, n'a pas de sens. C'est peut-être à cette propriété des jugements esthétiques que se référait l'esthétique classique quand elle affirmait que ces jugements sont toujours particuliers.

On voit clairement dans cette perspective pourquoi la poétique ne peut et même ne doit pas se poser comme tâche première l'explication du jugement esthétique. Celle-ci présuppose non seulement la connaissance de la structure de l'œuvre, que la poétique doit faciliter, mais aussi une connaissance du lecteur et de ce qui détermine son jugement. Si cette deuxième partie de la tâche n'est pas irréalisable, si on trouve des moyens pour étudier ce qu'on appelle communément le « goût » ou la « sensibilité » d'une époque, que ce soit par une recherche des traditions qui les forment ou des aptitudes innées à tout individu, alors un passage sera établi entre poétique et esthétique, et la vieille question sur la beauté de l'œuvre pourra être posée à nouveau.

3. La poétique comme transition

Nous avons vu en commençant que la poétique se définit comme une science de la littérature, s'opposant à la fois à l'activité d'interprétation d'œuvres individuelles (qui a trait à la littérature mais n'est pas science) et aux autres sciences, telles que la psychologie ou la sociologie, en ce qu'elle institue la littérature elle-même comme objet de connaissance, alors qu'auparavant celle-ci était considérée comme une manifestation parmi d'autres de la psyché ou de la société. Le geste constitutif de la poétique est irréprochable puisqu'il ne fait qu'annexer au champ de la connaissance ce qui ne servait jusqu'alors que comme voie d'accès pour connaître un objet autre.

Cependant, ce geste se trouve avoir des implications multiples qu'on n'a pas manqué, d'ailleurs, de relever dès le début. Instituant la poétique en discipline autonome dont la littérature en tant que telle est l'objet, on postule l'autonomie de cet objet : si celle-ci n'était pas suffisante, elle ne permettrait pas d'établir la spécificité de la poétique. Jakobson jetait en 1919 cette formule devenue depuis célèbre : « L'objet de la science littéraire n'est pas la littérature mais la littérarité, c'est-à-dire ce qui fait d'une œuvre donnée une œuvre littéraire. » Ce sont les aspects spécifiquement littéraires de la littérature, ceux qu'elle est la seule à posséder, qui forment l'objet de la poétique. L'autonomie de la poétique est suspendue à celle de la littérature.

Il apparaît, en d'autres mots, que la reconnaissance de la littérature comme objet d'études n'est pas suffisante pour justifier l'existence d'une science autonome de la littérature. Il faudrait prouver pour cela non seulement que la littérature mérite d'être connue (condition nécessaire) mais qu'elle est aussi absolument différente (condition suffisante). Plus même : comme l'objet d'une science se délimite, avant tout, par les catégories et les éléments les plus simples qui le constituent, il faudrait prouver, pour légitimer que la poétique soit une science autonome, que la spécificité littéraire se situe à un niveau déjà « atomique », élémentaire, et non à un niveau seulement « moléculaire », produit de la combinaison d'éléments plus simples.

Formulée ainsi, une telle hypothèse reste, bien entendu, possible; mais elle contredit notre expérience la plus quotidienne de la littérature. A quelque niveau qu'on l'envisage, la littérature possède des propriétés communes avec d'autres activités parallèles. D'abord, les phrases d'un texte littéraire partagent déjà la majorité de leurs caractéristiques avec tous les autres énoncés; mais même leurs traits réputés spécifiques se retrouvent dans les jeux de mots, les comptines, le parler argotique, etc. De manière moins évidente, elles communiquent avec la représentation picturale ou gestuelle. Sur le plan de l'organisation des discours, le poème lyrique partage certaines propriétés avec les énoncés philosophiques; d'autres, avec la prière ou avec l'exhortation. Le récit littéraire, on le sait, est proche de celui de l'historien, du journaliste, du témoin. Pour l'anthropologie le rôle de la littérature est probablement semblable à celui du cinéma ou du théâtre, plus généralement de tout symbolisme.

Il est fort possible qu'on puisse reconstituer ainsi une spécificité de la littérature (variable avec les époques), mais à un niveau « moléculaire » et non plus « atomique ». La littérature sera une traversée des niveaux, ce qui ne contredira pas le fait qu'à chacun d'eux ses propriétés sont partagées par d'autres productions. Il est même possible (j'en doute) que telle propriété n'appartienne qu'aux textes littéraires; mais combien pauvre serait cette image de la littérature qui ne serait faite que du dénominateur commun de tous les textes littéraires, de ce qui n'est que littérature, comparée à celle qui réunit tout ce qui *peut* être littérature!

L'expression « science de la littérature » est donc doublement déroutante. Il n'y a pas *une* science de la littérature car, saisie de points de vue différents, la littérature fait partie de l'objet de n'importe quelle autre science humaine. Saussure le notait déjà à propos du langage : « Pour assigner une place à la linguistique, il ne faut pas prendre la langue par tous ses côtés. Il est évident qu'ainsi plusieurs sciences (psychologie, physiologie, anthropologie, grammaire, philologie, etc.) pourraient revendiquer la langue comme leur

objet. » Dans le domaine de la littérature, Jakobson envi-
sageait aussi la possibilité, pour les autres sciences, de « se
servir des faits littéraires comme de documents défectueux,
de deuxième ordre ». — Mais, d'un autre côté, il n'y a pas
une science de *la* littérature, car les traits caractérisant la
littérature se rencontrent en dehors d'elle, même s'ils forment
des combinaisons différentes. La première impossibilité
tient aux lois du discours de connaissance; la seconde, aux
particularités de l'objet étudié.

On voit mieux maintenant quel a été et quel doit être le
rôle de la poétique. Le refus de connaître la littérature elle-
même n'est qu'un cas particulier d'un refoulement plus global
de toute activité symbolique, qui s'est traduit par la réduction
du symbole à une pure fonction ou à un simple reflet. Que
la réaction soit venue d'abord dans les études littéraires
plutôt que dans celles du mythe ou du rite, est le résultat
d'un concours de circonstances qu'il appartient à l'histoire
d'élucider. Mais aujourd'hui il n'y a plus aucune raison de
réserver à la seule littérature le type d'études qui s'est cris-
tallisé dans la poétique : il faut connaître « en tant que tels »
non seulement les textes littéraires mais *tous* les textes [1], non
seulement la production verbale mais *tout* symbolisme.

La poétique est donc appelée à jouer un rôle éminemment
transitoire : elle aura servi de « révélateur » des discours,
puisque les espèces les moins transparentes de ceux-ci se
rencontrent en poésie; mais cette découverte étant faite, la
science des discours étant inaugurée, son rôle propre se
trouve réduit à peu de chose : à la recherche des raisons qui

---

1. Notre enseignement privilégie encore la littérature, au détriment
de tous les autres types de discours. Il faut être bien conscient de ce qu'un
tel choix est purement idéologique et n'a pour lui aucune justification
dans les faits. La littérature est impensable en dehors d'une typologie
des discours.

faisaient considérer, à telle ou telle époque, certains textes comme « littérature ». A peine née, la poétique se voit appelée, par la force de ses résultats mêmes, à se sacrifier sur l'autel de la connaissance générale. Et il n'est pas sûr que ce sort doive être regretté.

Bibliographie sommaire

Nous nous contentons d'indiquer ici un certain nombre d'ouvrages généraux, pour la plupart récents, qui touchent au domaine de la poétique ; les opinions des auteurs, cependant, sont parfois très différentes de celles exposées ici. Pour une bibliographie plus complète et plus détaillée, on se référera à l'ouvrage de O. Ducrot et T. Todorov, Dictionnaire encyclopédique des sciences du langage *(Paris, Seuil, 1972). On pourra suivre l'évolution actuelle de la poétique à travers une série de revues spécialisées telles que* Poétique *(France),* New Literary History *(États-Unis),* Poetica *(Allemagne Fédérale),* Strumenti Critici *(Italie),* Poetics *(Pays-Bas),* Poetik *(Danemark),* Poetica *(Japon), etc.*

E. Auerbach, *Mimesis*, Paris, Gallimard, 1969 (1re, 1946).

M. M. Bakhtine, *La Poétique de Dostoïevski*, Paris, Seuil, 1970 (1re, 1929).

R. Barthes, *Critique et vérité*, Paris, Seuil, 1966. — *S/Z, ibid.*, 1970.

J. Cohen, *Structure du langage poétique*, Paris, Flammarion, 1966.

D. Delas et J. Filliolet, *Linguistique et poétique*, Paris, Larousse, 1973.

V. Erlich, *Russian Formalism, History-Doctrine*, La Haye, Mouton, 1965 (1re, 1955).

N. Frye, *Anatomy of criticism,* New York, Atheneum, 1957.

G. Genette, *Figures*, Paris, Seuil, 1966. — *Figures II, ibid.*, 1969. — *Figures III, ibid.*, 1972.

R. Jakobson, *Questions de poétique*, Paris, Seuil, 1973.

A. Jolles, *Formes simples*, Paris, Seuil, 1972 (1re, 1930).

W. Kayser, *Das sprachliche Kunstwerk*, Berne, Francke, 1959 (1re, 1948).

E. Lämmert, *Bauformen des Erzählens*, Stuttgart, J. B. Metzlersche Verl., 1955.

Ju. Lotman, *Structure du texte artistique*, Paris, Gallimard, 1973 (1re, 1970).

H. Meschonnic, *Pour la poétique*, Paris, Gallimard, 1970.

J. Mukařovsky, *Kapitel aus der Poetik*, Francfort, Suhrkampf, 1967 (1re, 1941).

V. Propp, *Morphologie du conte*, Paris, Seuil, 1970 (1re, 1928).

M. Riffaterre, *Essais de stylistique structurale*, Paris, Flammarion, 1971.

J. Starobinski, *La Relation critique*, Paris, Gallimard, 1970.

Théorie de la littérature, Textes des Formalistes russes, Paris, Seuil, 1965 (il existe de recueils comparables en presque toutes les langues occidentales).

T. Todorov, *Littérature et signification*, Paris, Larousse, 1967.
— *Poétique de la prose*, Paris, Seuil, 1971.

A. Kibédi Varga, *Les Constantes du poème*, La Haye, 1963.

R. Wellek, A. Warren, *La Théorie littéraire*, Paris, Seuil, 1971 (1re, 1949).

Table

IMPRIMERIE FLOCH A MAYENNE
D.L. 4ᵉ TRIM. 1973, Nº 3285-3 (14889)

Collection Points